Introduction

Bien que Chrétien de Troyes soit l'auteur le plus célèbre du XIIe siècle, les informations dont nous disposons à son sujet sont des plus limitées. Nous ne savons rien de sa vie, si ce n'est qu'il a travaillé à la cour de Champagne, au service de la comtesse Marie, fille de Louis VII et d'Aliénor d'Aquitaine, qui a joué un rôle important dans l'implantation de la «courtoisie» en France du Nord. Chrétien semble avoir achevé sa carrière dans l'entourage du comte Philippe de Flandres, à qui est dédiée sa dernière œuvre, *Le Conte du Graal*, d'ailleurs restée inachevée et témoignant apparemment d'une mutation esthétique radicale. On a voulu voir en lui un «clerc lisant», chargé en quelque sorte de la vie culturelle des cours qu'il fréquentait, et on s'est interrogé sur ses relations possibles avec Andreas Capellanus, l'auteur du grand «code» de la courtoisie, le *Tractatus de Amore*. D'autres ont suggéré qu'il s'agissait d'un juif converti, dont le nom n'affirme avec tant d'éclat l'orthodoxie qu'en raison de sa marginalité de fait. Selon l'hypothèse de R. Dragonetti, le choix d'un patronyme à ce point riche en connotations culturelles et symboliques dénote une volonté chez l'écrivain de masquer ses tendances subversives et de jouer avec le concept clé de la *translatio studii*.

En ce qui concerne l'œuvre de Chrétien de Troyes (composée sans doute entre 1165 et 1188), nous ne sommes guère plus avancés : nous disposons avec certitude de cinq romans, *Érec et Énide, Cligès, Le Chevalier à la charrette, Le Chevalier au lion* et *Le Conte du Graal*, et on a pendant longtemps attribué à Chrétien la paternité d'un roman à tendance hagiographique, *Guillaume d'Angleterre*, qui n'est sans doute pas de lui. Par ailleurs, il est aussi l'un des premiers trouvères de la France du Nord, et il nous reste de lui quelques chansons courtoises. Cependant, Chrétien lui-même, dans le prologue de *Cligès*, se présente comme l'auteur d'un certain nombre de textes qui ne nous sont pas parvenus. Il affirma en particulier avoir écrit *Du roi Marc et d'Yseut la blonde*, ce qui semble indiquer qu'il a composé un *Tristan*. Que cette hypothèse soit vraie ou non, le fait est que les quatre premiers romans de l'auteur champenois semblent consacrés à une exploration systématique des problèmes posés par l'idéologie courtoise, et des relations qui peuvent s'établir entre la « fin'amor » nécessairement adultère et l'amour conjugal.

Le Chevalier au lion s'inscrit tout à fait dans cette réflexion : comme dans *Érec et Énide*, le mariage du protagoniste ne constitue qu'une première étape, après laquelle il se trouve confronté à d'autres questions plus fondamentales. Il est en revanche plus surprenant de voir Chrétien créer dans *Le Chevalier à la charrette* un nouveau couple d'amants courtois qui va rivaliser par la suite avec Tristan et Yseut, alors que l'héroïne de *Cligès*, Fénice, proclame hautement son refus de se conduire comme une nouvelle Yseut, c'est-à-dire de se partager entre deux hommes. Il semble que *Le Chevalier à la charrette* soit une œuvre de circonstance, composée par Chrétien sur l'ordre et selon les indications précises de Marie de Champagne, sans que l'écrivain éprouve une particulière affinité pour son sujet – ce dont témoigne d'ailleurs le fait qu'il ait laissé son roman inachevé et en ait confié la fin à un continuateur moins doué. En dépit de ces réserves, *Le Chevalier à la charrette* est un chef-d'œuvre qui illustre parfaitement l'art de Chrétien; il en va de même pour *Le Chevalier au lion*, qui constitue peut-être le roman le plus équilibré et le plus proche de la perfection d'un auteur parvenu à maturité, dont la dernière œuvre va s'engager dans des voies nouvelles, comme s'il avait conscience d'avoir atteint avec l'*Yvain* un sommet indépassable.

Nous avons choisi d'étudier ensemble *Le Chevalier à la charrette* et *Le Chevalier au lion*, non par un parti-pris gratuit, mais du fait des temporalités entremêlées qui caractérisent ces deux textes, des allusions intertextuelles explicites (de l'*Yvain* vers *Le Chevalier à la charrette*, toujours) et de l'importance qu'y prend le personnage de Gauvain, neveu du roi Arthur, resté dans l'ombre dans les deux premiers textes de Chrétien, et qui deviendra l'un des héros de plein droit du *Conte du Graal*.

Les personnages

Arthur : roi du royaume de Logres, époux de la reine Guenièvre ; figure de *deus otiosus*, il ne joue qu'un rôle de témoin passif dans les deux romans. Mais c'est à sa cour que commence l'action, et le plus souvent à sa cour qu'elle s'achève.

Baudemagu : personnage du *Chevalier à la charrette*, roi du royaume de Gorre, père de Méléagant ; au contraire de son fils, orgueilleux et rempli de haine, il se conduit comme une figure paternelle protectrice, et sa courtoisie ne se dément jamais. Il accueille généreusement la reine et la garde contre les agressions de son fils, qu'il s'efforce en vain de mettre en garde contre sa propre démesure.

Calogrenant : cousin d'Yvain, dans *Le Chevalier au lion*. C'est à lui qu'est arrivée d'abord l'aventure de la fontaine, et c'est le récit qu'il en fait à la cour d'Arthur qui déclenche le roman.

Gauvain : neveu du roi Arthur, modèle des chevaliers courtois ; il participe à la quête de la reine dans *Le Chevalier à la charrette*, et ses aventures sont également mêlées à celles d'Yvain ; le duel final qui l'oppose à ce dernier, et qui s'achève par une scène de reconnaissance, montre qu'il est en quelque sorte l'« étalon » des vertus courtoises et chevaleresques.

Guenièvre : épouse d'Arthur, reine de Logres, amie de Lancelot. Enlevée par Méléagant, elle est cause de la quête de Gauvain et de Lancelot dans *Le Chevalier à la charrette*.

Keu : sénéchal d'Arthur, célèbre pour sa langue de vipère, qui ne cesse de railler les autres chevaliers, bien qu'il leur soit en général inférieur. C'est à cause de lui que la reine est livrée à Méléagant dans *Le Chevalier à la charrette*, et plus tard Méléagant l'accuse d'avoir commis l'adultère avec Guenièvre, à cause du sang qui tache ses draps.

Lancelot : héros du *Chevalier à la charrette*, qui reste anonyme jusqu'à la moitié du roman. Il est le chevalier prédestiné qui doit libérer tous les prisonniers du royaume de Logres ; il découvre son identité en soulevant la tombe merveilleuse du cimetière des chevaliers, mais il ne la révèle à personne. Amant parfait, il est entièrement soumis aux volontés de Guenièvre pour qui il combat trois fois contre Méléagant. C'est une invention de Chrétien de Troyes, bien qu'il se soit sans doute inspiré de textes ou de traditions antérieurs, désormais perdus.

Laudine : on n'est pas sûr que ce nom, donné une seule fois par un seul manuscrit du *Chevalier au lion*, soit véritablement celui de la « dame de la fontaine », qu'épouse Yvain après avoir tué son premier mari, défenseur de la fontaine magique, et qui, oubliée par lui après lui avoir donné un « congé » d'un an, le rejette si durement qu'il sombre dans la folie.

Lunete : demoiselle de Laudine, sans doute à l'origine la véritable fée de la fontaine dans *Le Chevalier au lion* ; elle vient au secours d'Yvain à plusieurs reprises, arrange son mariage et sa réconciliation finale avec sa dame sur qui elle a beaucoup d'influence.

Méléagant : personnage du *Chevalier à la charrette*, chevalier du royaume de Gorre, qui vient provoquer Arthur et emmène Guenièvre prisonnière ; il s'agit sans doute d'une figure mythique de géant et de ravisseur, qui dans les légendes celtiques cherche à s'emparer de la reine, principe du pouvoir (voir les sculptures de la cathédrale de Modène). Il est animé d'une haine farouche contre Lancelot, qu'il n'hésite pas à faire prisonnier par traîtrise.

Yvain : fils du roi Urien, chevalier de la cour d'Arthur, cousin de Calogrenant, qui entreprend pour sauver l'honneur familial l'aventure de la fontaine dans *Le Chevalier au lion*, et y gagne la main de Laudine et le statut enviable de protecteur de la fontaine magique. Cependant, séduit par les belles paroles de Gauvain, il oublie sa promesse de revenir au bout d'un an auprès de son épouse, et perd ainsi la faveur de celle-ci. Rendu fou par cet abandon, il est guéri par la dame de Noroison, sauve un lion qui s'attache à ses pas (lui conférant ainsi le nom de « chevalier au lion » qui est le titre du roman où il apparaît) et à la suite d'un certain nombre d'aventures qualifiantes qui prouvent ses progrès moraux, réussit à se réconcilier avec sa dame par l'entremise de Lunete.

Le Chevalier à la charrette

Sommaire du *Chevalier à la charrette*

Chrétien de Troyes annonce qu'il va commencer un nouveau roman, sur l'ordre et selon les conceptions de sa commanditrice, la comtesse de Champagne. L'histoire dit qu'un jour un chevalier anonyme, quelque peu entaché de gigantisme, vient provoquer Arthur à sa cour : à moins que le champion du roi ne l'emporte en combat singulier contre le visiteur, celui-ci emmènera la reine au « pays d'où on ne revient jamais ». Malgré l'appréhension de la reine et des chevaliers, le sénéchal Keu obtient d'Arthur le droit de relever le défi. Il s'éloigne avec la reine, et après un moment d'attente anxieuse, toute la cour, Gauvain en tête, part aux nouvelles. Gauvain rencontre le cheval de Keu, sans son cavalier, puis un chevalier anonyme, qui s'avérera être Lancelot, et qui le prie de lui procurer un cheval, car le sien meurt d'épuisement.

Le chevalier ne tarde pas à rencontrer un nain, conduisant une charrette, véhicule d'infamie. Il lui demande des nouvelles de la reine, mais le nain refuse de lui donner aucune information, à moins qu'il ne monte dans la charrette ; Lancelot s'y décide après deux secondes d'hésitation, alors que Gauvain, survenu entre-temps, refuse avec indignation et se borne à suivre à cheval. Les deux chevaliers sont hébergés dans un château où, en dépit des railleries de tous, Lancelot, le « chevalier charreté », passe la nuit dans un lit merveilleux réservé au meilleur chevalier du monde. Au matin, il voit passer le cortège de la reine (accompagnée de son ravisseur et de Keu blessé dans une litière), et il manque de tomber par la fenêtre tant cette vision le fascine.

Gauvain et Lancelot, informés qu'il y a deux chemins pour se rendre au royaume de Gorre, se séparent : Gauvain se dirige vers le Pont sous l'Eau, et Lancelot prend la route la plus difficile, qui mène au Pont de l'Épée. En chemin, diverses aventures manifestent l'intensité de sa dévotion à la reine et prouvent qu'il est bien le libérateur prédestiné des captifs du royaume de Gorre.

Lancelot parvient au Pont de l'Épée et le franchit héroïquement, sans se laisser impressionner par les enchantements ; sur l'autre rive, Méléagant, le ravisseur de Guenièvre, et son père, le roi Baudemagu, observent son arrivée, en proie à des sentiments très différents : le premier est plein d'orgueil et de colère, le second, admirant le courage du héros, dont la reine donne incidemment le nom, se déclare en faveur d'une solution à l'amiable. Lancelot veut combattre sur-le-champ Méléagant afin d'accomplir sa mission. Eu égard à ses blessures, le combat est cependant reporté au lendemain. Un moment en mauvaise posture, parce que trop absorbé dans la contemplation de sa dame, Lancelot va cependant l'emporter quand Baudemagu intercède auprès de la reine en faveur de son fils : les deux chevaliers combattront à nouveau d'ici un an à la cour d'Arthur, mais en attendant, Lancelot fait grâce à son adversaire qui ne lui en a aucune reconnaissance.

Le roi emmène Lancelot saluer la reine, mais celle-ci se montre glaciale à l'égard de son champion, qui s'en désespère sans oser néanmoins demander une explication. Il s'en va à la recherche de Gauvain et est fait prisonnier par des habitants trop zélés du royaume de Gorre. On le croit mort ; cette fausse nouvelle plonge à son tour la reine dans le désespoir, et dans les remords. Elle en tombe malade, si bien que le bruit de sa mort se répand : Lancelot l'apprenant tente de se suicider. Enfin les malentendus se dissipent, et lors d'une seconde entrevue la reine reçoit gracieusement son ami et lui donne rendez-vous la nuit suivante à la fenêtre de sa chambre. Au cours de la conversation nocturne, Lancelot obtient la permission de pénétrer dans la chambre de sa dame en arrachant les barreaux de la fenêtre. Il passe la nuit dans les bras de la reine qu'il quitte à regret le matin sans se rendre compte que ses mains, blessées aux barreaux, ont ensanglanté les draps.

Méléagant, à ce spectacle, accuse la reine d'avoir commis l'adultère avec le sénéchal Keu dont les plaies se sont précisément rouvertes pendant la nuit. Lancelot, mandé discrètement par Guenièvre, jure sur les reliques que les choses ne se sont pas passées ainsi, et entre en champ contre Méléagant. Une nouvelle fois, il faut l'intervention de Baudemagu pour que son fils soit épargné. En attendant le combat final, Lancelot part une nouvelle fois à la rencontre de Gauvain, mais il est trahi et fait prisonnier par des séides de Méléagant qui veut se débarrasser définitivement de lui. Un faux message rassure la reine et Gauvain, arrivé entre-temps chez Baudemagu, et tous les captifs rentrent en Logres, pour s'apercevoir à la cour d'Arthur de la disparition de Lancelot.

Cependant, à l'occasion d'un tournoi organisé par la dame de Nohaut, le roi, libéré sur parole par la femme de son geôlier, a l'occasion de s'illustrer et de manifester sa soumission à la reine en combattant, sur son ordre, d'abord au « pire », puis au mieux. Fidèle à sa parole, il rejoint sa prison, mais Méléagant, informé de l'aventure, le fait enfermer dans une tour isolée où il manque de mourir de faim. La sœur de Méléagant, à qui le héros a autrefois rendu un grand service, part à sa recherche et le libère à temps pour qu'il revienne à la cour d'Arthur pour sa bataille finale avec Méléagant, à qui il tranche la tête. Ainsi s'arrête le récit, achevé par Gautier de Loignies, avec l'aval de Chrétien, occupé ailleurs.

Résumés et commentaires

PROLOGUE

RÉSUMÉ

Chrétien de Troyes entreprend un nouveau roman, conformément à l'ordre de la comtesse de Champagne, sa dame, qu'il ne veut point louer de la manière traditionnelle, quoiqu'elle le mérite, car il méprise ces artifices rhétoriques banals. L'œuvre qu'il commence, en fait, doit à la comtesse son « sens », sa signification profonde, et le choix de son sujet : Chrétien se borne à assurer la mise en forme.

COMMENTAIRE

Le prologue est l'endroit où l'écrivain médiéval expose, dans une certaine mesure, les conditions de production de son œuvre. La louange du commanditaire fait partie des *topoi* que l'on attend à l'orée de chaque roman. Dans ce cas précis, Chrétien de Troyes pratique une variante intéressante du discours laudatif, en n'abordant ce sujet que sous le biais de la prétérition. C'est un moyen, non seulement de distinguer sa dame, dont le langage poétique ne saurait énoncer la perfection, mais aussi de se mettre en valeur en tant que poète original : selon une équation facile, si la commanditaire l'emporte sur les autres dames, l'auteur qui se conforme à ses ordres l'emporte sur ses concurrents.

Le Chevalier à la charrette constitue une exception dans l'œuvre de Chrétien de Troyes : alors que tous ses autres romans semblent explorer les possibilités de synthèse entre la tentation de la « fin'amor » et l'amour conjugal, alors que dans *Cligès*, composé peu d'années avant *Le Chevalier à la charrette*, l'héroïne Fénice se pose explicitement comme une anti-Yseut, le nouveau roman semble constituer une apologie de l'amour courtois adultère, et crée en face du couple canonique Tristan/Yseut un nouveau couple d'amants, qui va devenir le modèle exemplaire de ce genre de relation amoureuse dans la littérature ultérieure. La critique s'est beaucoup interrogée sur cette apparente contradiction, et se fonde sur le prologue pour conclure que Chrétien de Troyes n'a accepté qu'à contre-cœur de traiter un sujet qui va à l'encontre de ses opinions, sur l'ordre exprès de la Comtesse Marie de Champagne, à la cour de laquelle il travaillait. Les formules par lesquelles il rend hommage à la comtesse en minimisant la part qu'il a prise lui-même à l'élaboration du livre viseraient en quelque sorte à dégager sa responsabilité : il établit, d'une manière qui deviendra traditionnelle, une différence entre le fond et la forme, le contenu narratif et idéologique, et la mise en œuvre poétique. Dans cet ordre d'idées, le poète n'est qu'un bon artisan, capable de travailler sur n'importe quel matériau. Cette théorie a l'avantage de fournir aussi une explication à l'inachèvement du roman, qui a été complété par un trouvère peu connu, auquel Chrétien aurait confié le soin d'achever son ouvrage... peut-être pendant que lui se consacrait au *Chevalier au lion*.

L'ENLÈVEMENT DE LA REINE

RÉSUMÉ

Alors que le roi Arthur tient cour plénière pour l'Ascension, un chevalier tout armé se présente à Caerlion ; sans saluer Arthur, il lui apprend qu'il tient prisonniers en sa terre bon nombre de ses sujets. Puis, après avoir feint de se retirer, il suggère au roi un moyen de libérer les victimes : si Arthur a à sa cour un chevalier en qui il se fie assez pour en faire son champion, que celui-ci s'arme et vienne avec la reine combattre l'étranger. S'il est victorieux, il ramènera la reine saine et sauve, et les prisonniers seront libérés. Dans le cas contraire, la reine et le vaincu seront à leur tour emmenés en prison par le chevalier qui a lancé cet étrange défi.

À peine a-t-il quitté la cour que le sénéchal Keu, faisant semblant d'être en colère, vient annoncer au roi qu'il ne restera plus à son service. En dépit des prières d'Arthur, il reste ferme, et ne cède pas non plus aux supplications de la reine; lorsque celle-ci tombe à genoux devant lui et jure d'y rester aussi longtemps qu'il n'aura pas renoncé à ses intentions, il accepte de rester, à condition que le roi lui accorde un don. La reine s'y engage au nom de son seigneur : Keu réclame alors le droit de l'emmener avec lui relever le défi du chevalier étranger. Toute la cour se désole, et le roi lui-même est navré, mais pour rien au monde il ne trahirait son serment. La reine part avec Keu, au milieu des lamentations de tous, telles qu'on la croirait morte. Au moment de monter à son cheval, elle murmure tout bas : « Ah ! Vous ne me laisseriez pas emmener de la sorte si vous étiez là », ce qu'entend l'un des chevaliers présents.

Pour les chevaliers commence une attente angoissée; n'y tenant plus, Gauvain suggère à son oncle que la cour aille aux nouvelles. Arrivés auprès du lieu du rendez-vous, ils ne tardent pas à rencontrer le cheval de Keu, sangle rompue, selle ensanglantée. Gauvain, qui marche en tête, entreprend aussitôt de poursuivre la reine et celui qui l'a enlevée. Il n'a pas fait dix lieues qu'il rencontre un chevalier anonyme sur un cheval fourbu. Sur la demande de celui-ci, il lui donne l'un de ses propres destriers, et le chevalier s'élance à bride abattue, cependant que sa monture initiale tombe morte, tant il a durement chevauché ce jour-là. Un peu plus loin, Gauvain trouve le corps de son cheval, également mort, ainsi que des traces d'un combat auquel il regrette de n'avoir pu participer.

COMMENTAIRE

Un système de causalité différent

Un roman du Moyen Âge ne fonctionne pas du tout selon le même principe de causalité qu'un roman moderne. La logique des actions de Keu n'est guère apparente pour un lecteur du XXe siècle. De la même façon, il n'est pas possible de déterminer par quel moyen le chevalier anonyme, qui n'est autre que Lancelot, a appris l'enlèvement de la reine, bien que l'allusion au «comte» qui surprend le soupir de la reine semble suggérer que c'est lui qui a pu alerter Lancelot. Dans le même ordre d'idées, l'ordre de succession des événements reste flou, et on ne saisit pas bien combien de temps s'écoule entre les différentes séquences.

Le don contraignant

La mise en scène de Keu, faisant semblant de vouloir abandonner le roi Arthur, a pour but de lui obtenir un «don» que le roi ne voudrait pas spontanément lui accorder, à savoir le droit de défendre la reine contre le chevalier étranger. (Keu n'est pas un très bon chevalier : ce présupposé, indispensable pour comprendre l'ensemble de l'épisode, fait partie du savoir minimal dont dispose tout lecteur de roman du XIIe siècle.) Il s'agit d'un motif d'origine celtique que l'on retrouve très souvent dans la littérature médiévale, et dont on verra d'ailleurs d'autres exemples dans la suite du roman; on l'appelle le don contraignant, ou le «don en blanc» : un personnage en amène un autre à lui promettre de lui accorder ce qu'il lui demandera, sans que le contenu de cette promesse soit encore spécifié ; puis il demande quelque chose dont il sait pertinemment que cela lui aurait été refusé s'il était passé par la procédure normale.

Le Pays d'où on ne revient pas

Le défi du chevalier étranger vient tout droit du réservoir thématique celtique; on retrouve une scène analogue dans *Le Conte du Graal*, où le Chevalier Vermeil vient lui aussi insulter et défier Arthur sans que celui-ci puisse faire autre chose que se lamenter. Mais ici le chevalier présente des caractéristiques encore plus inquiétantes, et ce qu'il dit de son pays et des prisonniers qu'il y retient font de lui une figure infernale, le seigneur d'un royaume d'où on ne revient jamais parce que c'est le royaume des morts. Les réactions de la cour lors du départ de la reine viennent confirmer cette interprétation : tout le monde se lamente «comme si on la voyait mettre en bière». La reine elle-même, nouvelle Perséphone, va à la mort, sans aucun espoir de retour.

L'enlèvement de la reine

La reine, en termes médiévaux, et plus encore dans le système de valeurs celtique, où la femme occupe une place importante, est le symbole de la puissance royale. L'enlèvement de la reine, motif récurrent dans les textes d'origine celtique, est donc à lire comme une tentative d'usurpation du pouvoir d'Arthur. Dans *Le Conte du Graal*, le Chevalier Vermeil s'en prend aussi à Guenièvre, renversant du vin sur sa robe avant d'emporter la coupe d'or du roi. En fait, il semble que plusieurs romans aient gardé le souvenir d'un épisode de ce genre, entre autres *Le Roman d'Yder*, et le *Lanzelet* d'Ulrich von Zazhikhoven. Le triangle Arthur/Gwenwyhfar (c'est le nom de Guenièvre dans la tradition celtique)/Melwas (ou Méléagant) apparaît dans les plus anciens témoignages de la légende arthurienne, en particulier dans la fameuse archivolte de Modène.

LA CHARRETTE

RÉSUMÉ

Gauvain à cheval rattrape le chevalier anonyme qui est désormais à pied au moment où celui-ci parvient près d'une charrette conduite par un nain. En ce temps-là, la charrette est le véhicule d'infamie, où nul ne monte s'il n'est «honni». Le chevalier anonyme demande au nain s'il peut lui donner des nouvelles de «sa dame la reine», mais le nain refuse de lui dire quoi que ce soit à moins qu'il ne monte sur la charrette. Le chevalier hésite le temps de faire deux pas, et il aura lieu de s'en repentir. Amour et Raison se disputent son cœur: Raison lui déconseille de se déshonorer ainsi, alors qu'Amour l'invite à tout faire pour retrouver celle qu'il aime. Après que le chevalier s'est installé dans la charrette, Gauvain arrive à son tour et pose la même question. Invité à faire comme son collègue, il refuse avec indignation et se borne à suivre à cheval la charrette.

Celle-ci passe à travers les rues d'une ville riche et animée, et tout le monde conspue le chevalier «charreté», en demandant au nain quel crime il a commis et quel châtiment il va subir. En cet équipage ils parviennent au château de l'endroit; le nain fait descendre le chevalier, sans répondre un seul mot aux questions et aux railleries, et disparaît sans qu'on puisse savoir où il est passé. La demoiselle du château, belle et courtoise, reçoit les deux chevaliers, mais réserve toutes ses attentions à Gauvain. Au moment de se coucher, elle leur propose deux lits, dont l'un, paraît-il, est de nature magique. Seul un très bon chevalier peut y dormir, et sans doute, affirme-telle, ce n'est pas le chevalier charreté qui pourra s'y risquer. Piqué au vif, le chevalier relève le défi. Pendant la nuit, une lance enflammée frappe le lit, dont on a longuement décrit la richesse, et érafle le flanc du chevalier qui, sans se laisser impressionner, la relance dans la salle et s'endort du sommeil du juste. Au matin, en se penchant à la fenêtre, il voit un étrange cortège : un chevalier dans une bière, accompagné par des jeunes filles en pleurs, et un très grand chevalier accompagné par une dame. Il reconnaît immédiatement la reine, et est à ce point fasciné par ce spectacle qu'il se jette presque par la fenêtre. Gauvain le retient à bras le corps, et la jeune fille qui les a hébergés déclare qu'un chevalier déshonoré qui est monté dans la charrette a bien raison de chercher à se suicider.

COMMENTAIRE

Logique narrative

Si l'on peut admettre que la signification de la charrette est connue de tous, l'attitude du nain, faisant du déshonneur du chevalier une condition d'obtention des renseignements qu'il détient – sans qu'on sache en vertu de quoi –, puis s'enfermant dans un silence énigmatique, ne semble pas ressortir à une logique narrative immédiatement discernable. Plus tard, du haut des fenêtres du château où il a passé la nuit, le chevalier identifie sans peine le cortège de la reine alors que d'habitude personne ne se reconnaît dans ces romans. Par ailleurs, il est illogique que la reine et celui qui l'a enlevée soient encore si proches de leurs poursuivants : ce détail accroît l'impression surnaturelle ; l'espace n'est pas normal, le royaume de Gorre est un royaume que l'on ne peut situer géographiquement, et où l'on n'accède pas selon un parcours repérable.

La Charrette

Le nain est une figure qui apparaît souvent dans les romans des XIIe et XIIIe siècles, et il présente en général des caractéristiques maléfiques. Le plus souvent il est lié d'une manière ou d'une autre au surnaturel, et sa fonction est de mettre le héros en contact avec l'Autre Monde d'où provient la merveille. Dans le cas du *Chevalier à la charrette*, les critiques ont vu en lui une créature psychopompe, son véhicule d'infamie constituant aussi une métonymie de la bière funèbre dans laquelle un personnage est conduit à sa dernière demeure.

Comme il est naturel dans les romans de ce type, tout le monde, à l'exception du personnage principal et du lecteur, possède une quantité minimale d'informations. De même qu'on verra plus loin la reine au courant de l'hésitation du chevalier à monter sur la charrette, de même ici toutes les figures secondaires sont au courant de son déshonneur, le raillent cruellement, et reprochent à Gauvain de souffrir sa compagnie. De manière caractéristique, rien de tout cela n'est explicité : le lecteur apprend au fur et à mesure que le texte se déroule selon les règles d'un univers non-aristotélicien, où les catégories du temps et de l'espace sont singulièrement bouleversées.

Le lit de la Merveille

Le château où Gauvain et le chevalier anonyme sont hébergés pour la première nuit de leur « quête » semble à première vue à peu près innocent : un château comme il y en a tant dans le monde arthurien. Cependant, il présente tout de même quelques caractéristiques anormales, qui vont de pair avec sa qualité d'étape sur la route de l'Autre Monde : la population se comporte dans une large mesure comme celle du « Château de la Merveille » où Gauvain sera reçu quelques années plus tard dans *Le Conte du Graal* ; de même le lit où le chevalier anonyme est averti de ne pas chercher à passer la nuit est en fait l'un de ces artefacts merveilleux dont l'emploi déclenche une série de manifestations surnaturelles destinées à tester la valeur d'un chevalier prédestiné. Cependant, alors que dans *Le Conte du Graal* le lit est au centre d'une mise en scène très élaborée, il ne constitue dans *Le Chevalier à la charrette* qu'un épisode secondaire sur lequel le récit ne s'attarde pas, et le chevalier anonyme ne lui accorde pas la moindre attention : il se borne à accomplir la « prouesse » que l'on attend de lui, et s'endort sans se poser de questions.

L'Allégorie courtoise

Pour la première fois, le thème de l'amour est introduit dans le roman, d'une manière extrêmement abrupte, et sans aucune explication. Le lecteur apprend que le moteur des actions de ce chevalier, surgi de nulle part pour prendre part à ce qui n'est même pas explicitement la quête de la reine, est l'amour, qu'il porte apparemment à celle-ci. Cette information minimale, jointe au soupir de la reine au moment de son départ, suggère une «histoire d'amour» entre les deux personnages, bien qu'il soit difficile de doter les héros d'un roman médiéval d'une épaisseur biographique excédant les limites de l'aventure en cours.

Cet amour qu'éprouve le chevalier est en tout cas d'emblée transcrit en termes de casuistique courtoise, et présenté comme une figure allégorique qui lutte avec une autre, celle de Raison, et remporte finalement la victoire. L'emploi de ce genre de rhétorique ressortit à ce que la critique a appelé la «préciosité» de Chrétien de Troyes, et est caractéristique du *Chevalier à la charrette*: bien que dans *Le Chevalier au lion*, par exemple, on rencontre ce genre de développements courtois, ils sont en général placés dans la bouche d'un personnage, ou traités au second degré. Peut-être faut-il voir dans leur emploi très orthodoxe ici le signe de l'influence de la comtesse de Champagne.

LES DEUX PONTS – LE CHEVALIER DU GUÉ

RÉSUMÉ

Les deux chevaliers prennent en hâte congé de leur hôtesse qui, après avoir bien raillé le chevalier anonyme, agit courtoisement et lui donne un cheval et des armes. En dépit de leurs efforts, ils ne parviennent pas à rejoindre le cortège de la reine, qui s'en est allé à grande allure; mais à un carrefour ils rencontrent une demoiselle à laquelle ils demandent leur chemin. Celle-ci se déclare à même de leur donner des informations, à condition qu'ils promettent de lui rendre le service qu'elle leur demandera. Gauvain promet de faire son possible, et l'autre chevalier s'engage catégoriquement, poussé par l'amour qui informe tous ses actes et toutes ses pensées. La demoiselle leur apprend alors que c'est Méléagant, un très grand chevalier (comprendre : un géant), qui a enlevé la reine et l'a emmenée en exil pour toujours au royaume de Gorre, dont personne ne revient sans l'accord du roi, Baudemagu. Pour se rendre au royaume de Gorre, il y a deux voies possibles : toutes deux aboutissent à des ponts, car apparemment Gorre est un royaume entouré d'eau de toutes parts. Le premier pont est appelé le Pont Évage (« sous l'eau »), parce qu'en effet il coule autant d'eau au-dessus qu'au-dessous de lui. Le second, encore plus périlleux, est appelé le Pont de l'Épée, parce qu'il est tranchant comme une épée. La demoiselle s'en va en rappelant aux chevaliers qu'ils lui doivent chacun une promesse. Le chevalier anonyme offre alors le choix à Gauvain : qu'il se mette en route vers le pont qu'il préfère, lui-même ira à l'autre. Gauvain, après quelques hésitations, choisit le Pont Évage : le chevalier anonyme ira donc au Pont de l'Épée.

Il commence son voyage, si totalement absorbé dans ses pensées qu'il laisse son cheval se diriger à son gré. Ils ne tardent pas à arriver à un gué, gardé comme il se doit par un chevalier, qui défie tous les passants. Le cheval du chevalier anonyme se dirige droit sur le gué pour se désaltérer, et le chevalier du gué lance son défi par trois fois. Mais le chevalier anonyme, tout entier plongé dans sa rêverie amoureuse, ne l'entend pas ; finalement, le gardien du gué, ulcéré, charge et l'abat de son cheval dans l'eau. L'humidité ramène le chevalier à ses sens, et il s'indigne du traitement qui lui a été réservé. Après quelques échanges aigres-doux, un vrai combat s'engage, qui aboutit bien sûr à la victoire du chevalier anonyme ; la demoiselle qu'il a amenée avec lui lui demande merci pour le chevalier, mais il refuse de la lui accorder. Le chevalier du gué crie alors merci à son tour, et le héros renonce à le tuer, car aucun chevalier ne doit refuser de se montrer pitoyable quand son adversaire l'en prie. La demoiselle le prie alors de lui « rendre » son prisonnier, ce qui équivaut à le libérer de sa prison. Et le chevalier anonyme, qui la reconnaît à ce moment, accepte sans discuter davantage.

COMMENTAIRE

Les caractéristiques merveilleuses du royaume de Gorre

Grâce à l'une de ces demoiselles qui arpentent les forêts aventureuses dans la seule intention, semble-t-il, de renseigner les chevaliers errants sur leur destination, on apprend pour la première fois quelques petites choses sur la contrée mystérieuse où le chevalier étranger emmène la reine. Il s'agit d'un royaume clairement présenté comme surnaturel, dont nul ne peut revenir une fois qu'il y est entré : transparente allégorie des Enfers, renforcée par le fait que ce royaume est entièrement entouré d'eau; en effet, outre que l'eau est liée dans les structures de l'imaginaire à la mort, cette topographie particulière rappelle les fleuves infernaux de la mythologie antique (le Styx, en particulier. On retrouve là encore le même type de symbolique dans *Le Conte du Graal*). De ce fait, l'aventure individuelle que constitue la quête de la reine acquiert une dimension messianique beaucoup plus considérable : en libérant les prisonniers de la mort, le chevalier se comporte comme une figure du Christ aux Limbes.

Selon cette logique, Baudemagu, le roi de Gorre, est une figure du dieu des Enfers, Pluton. En fait, il s'agit sans doute d'un avatar des rois surnaturels très présents dans les légendes celtiques (Cf. le *Mabinogi de Pryderi*), mais sa dimension maléfique va apparaître comme très atténuée dans la suite du roman, et reportée sur son fils, ce Méléagant dont la stature gigantesque suggère inévitablement l'origine surnaturelle. Dans les œuvres ultérieures, Baudemagu sera complètement évhémérisé comme un bon chevalier de l'entourage de Galehaut, que Gauvain tuera d'ailleurs «par mescheance» dans la *Queste del saint Graal*, et la rivalité de Méléagant avec Lancelot sera traduite en terme tout à fait terre-à-terre. Les deux voies d'accès qui permettent de pénétrer cet Autre Monde sont passibles de la même lecture symbolique.

Les deux ponts

Le Pont Évage et le Pont de l'Épée représentent l'irruption de la merveille brute dans la trame romanesque; leur qualité surnaturelle est tout à fait évidente, bien que les chevaliers n'en paraissent pas le moins du monde frappés. De nombreuses interprétations « théologiques » en seront données dans la littérature ultérieure – surtout pour le « Pont-sous-Eau » –, qui semble constituer la négation de l'idée même de pont. Il n'est pas indifférent que ce pont soit considéré finalement comme le moins périlleux, bien que Gauvain, toujours facile à prendre dans les voiles de l'illusion, manque de s'y noyer. Le Pont de l'Épée, tranchant comme une lame, symbolise les souffrances que le parfait amant doit être prêt à subir pour sa dame, sans même se rendre compte qu'il s'agit de souffrance, et par ailleurs, les blessures que recevra à cette occasion Lancelot joueront un rôle dramatique important dans la suite du roman, tout en ayant plusieurs significations figurées : c'est l'un de ces objets polysémiques dans lesquels se concentrent les choix esthétiques du XIIe siècle.

La rêverie amoureuse

La conduite du chevalier anonyme vis-à-vis du chevalier du gué emblématise le pouvoir de l'amour. Ce motif, déjà effleuré dans l'épisode précédent, lorsque le chevalier manque de tomber par la fenêtre à la vue de la reine, sera exploité à plusieurs reprises dans la suite du roman, et deviendra un leitmotiv de la littérature ultérieure. Bien qu'il s'applique à tout chevalier amoureux – voir la très célèbre scène des trois gouttes de sang sur la Neige dans *Le Conte du Graal* –, il ne tarde pas à devenir l'un des signes distinctifs de Lancelot, et est souvent presque poussé jusqu'au ridicule : chaque fois que Lancelot voit la reine, ou quelque chose qui lui a appartenu, ou simplement chaque fois qu'il pense à elle, il entre dans une extase si profonde que tous les défis des chevaliers de rencontre ne parviennent pas à l'en tirer, et qu'il oublie complètement sa prouesse, les circonstances dans lesquelles il se trouve et le rôle qu'il a à jouer en tant que champion de sa dame.

Le problème de l'identité

L'identité de la demoiselle qui assiste au duel et qui réclame la grâce du chevalier n'est pas claire. Très souvent dans un roman médiéval, on a l'impression que les personnages jouent à colin-maillart, qu'ils circulent les yeux bandés, de telle manière qu'ils ne se reconnaissent jamais, même s'ils ont passé toute leur vie ensemble. La demoiselle a à voir avec l'enfance de Lancelot : c'est une messagère de la fée du Lac qui a élevé le héros, et elle l'accompagne dans ce parcours initiatique qui doit aboutir, non seulement à la libération de la reine, et partant, à celle de tous les prisonniers de Gorre, mais à la découverte par le chevalier sans nom de son identité et de son lignage. C'est dans ce contexte qu'il faut apprécier son désir de garder l'incognito.

LA DEMOISELLE TENTATRICE

RÉSUMÉ

La tentative de viol

Poursuivant sa route, le chevalier anonyme rencontre une autre demoiselle, qui lui propose de l'héberger pour la nuit qui vient, et qui lui annonce qu'à son hôtel il couchera avec elle. Le chevalier a bien envie de refuser, mais comme il a engagé sa parole, il ne peut se dédire. Ils arrivent au manoir de la demoiselle, riche et bien préparé pour accueillir un chevalier, mais où ne se rencontre âme qui vive. Le chevalier se désarme, puis la demoiselle se retire, et le chevalier au bout d'un moment l'entend appeler à l'aide; il arrive à une chambre où elle est est renversée sur un lit, à demi dévêtue, au pouvoir d'un chevalier qui veut la violer; deux chevaliers armés d'épées et quatre «sergents» armés de haches gardent l'entrée de la chambre, et le chevalier anonyme, bien sûr, est désarmé. La demoiselle le conjure de venir à son secours, en insistant sur le déshonneur qu'il y aurait pour lui à la laisser violer alors qu'il doit coucher avec elle cette nuit. Le chevalier se demande avec un peu de perplexité ce qu'il doit faire, et aboutit à la conclusion qu'ayant entrepris une si noble quête que celle de la reine Guenièvre, il ne doit pas faillir à toute dame ou demoiselle qui lui demande son aide, surtout dans une telle extrémité. Héroïquement il se lance à l'assaut de ceux qui gardent la porte et réussit à en triompher.

Le peigne aux cheveux d'or

La demoiselle le remercie chaleureusement, puis l'emmène dans une très belle chambre et l'invite à se coucher auprès d'elle. Mais elle garde sa chemise, et lui, qui la rejoint à contre-cœur, fait de même. Le chevalier se tient aussi à l'écart de la demoiselle qu'il est possible, il ne la touche pas et ne dit pas un mot. C'est qu'il est tout entier aux ordres d'Amour; il n'avait qu'un seul cœur, et ce cœur n'est plus en sa possession. Il n'est donc pas en son pouvoir d'éprouver le moindre intérêt pour une autre femme que la reine. Au bout d'un moment la demoiselle se lève en disant qu'il dormira beaucoup mieux seul dans ce lit et regagne sa chambre, où elle s'endort mélancoliquement en admirant les qualités de son hôte.

Au matin, alors que le chevalier va partir, elle lui dit qu'elle l'accompagnerait volontiers, «suivant les coutumes de Logres», qui exigent qu'un chevalier soit prêt à défendre contre tous une demoiselle qu'il a «en conduit». Le chevalier accepte, et ils partent ensemble; mais le chevalier, absorbé dans ses pensées, ne se prête pas aux tentatives de la demoiselle pour faire la conversation, car Amour le domine tout entier. Ils parviennent à un perron près d'une fontaine, sur lequel se trouve un peigne d'or contenant quelques cheveux, que celle qui s'est coiffée ici a abandonnés derrière elle. Après une tentative de la part de la demoiselle pour éviter le perron, les voyageurs aperçoivent le peigne, et la jeune fille éclate de rire. Conjurée au nom de l'être au monde qu'elle aime le plus de dire pourquoi, elle explique que ce peigne et ces cheveux sont ceux de la reine Guenièvre. Le chevalier manque de s'évanouir d'émotion à cette nouvelle. Il donne sans hésiter le peigne à la demoiselle qui feint de s'y intéresser et garde pour lui-même les cheveux qui lui paraissent plus précieux que les plus saintes reliques.

L'amoureux éconduit

Un peu plus loin, le chevalier et la damoiselle voient venir un autre chevalier à bride abattue: il a longtemps aimé la demoiselle, mais elle n'a rien voulu entendre; il est ravi de l'aubaine, car il a enfin l'occasion de la prendre, puisqu'elle ne voyage pas seule. Mais le chevalier anonyme fait savoir qu'il défendra la pucelle. Les deux chevaliers décident de combattre sur la lande toute proche, plutôt que de le faire sur le chemin forestier où ils n'auraient pas la place nécessaire pour une joute digne de ce nom. Sur la lande jouent et dansent un certain nombre de gens d'armes qui se moquent du « chevalier charreté ». Le jeune chevalier qui conduit la demoiselle annonce à son père qu'il l'a enfin conquise. Mais le père refuse de le laisser combattre contre le chevalier anonyme. Il épuise sa rhétorique à convaincre son fils récalcitrant, et finalement le contraint par la force à rendre la demoiselle. Il le fait parce qu'il soupçonne la valeur du chevalier anonyme, et pour consoler son fils ulcéré lui propose de le suivre le lendemain et le jour suivant, afin de voir comment il se comporte : peut-être le laissera-t-il combattre quand il en saura davantage. Ainsi font-ils : le père et le fils suivent à distance le chevalier et la demoiselle.

COMMENTAIRE

La scène de viol

Comme d'habitude, les motivations du personnage ne sont pas expliquées, et son apparition n'est pas justifiée : tout chevalier errant est apte à rencontrer un certain nombre de demoiselles plus ou moins en détresse, et l'une de ses fonctions les plus importantes consiste à leur venir en aide. Dans ce cas précis, la demoiselle requiert un service d'un genre particulier, et apparaît dès le début de la séquence comme une figure féerique, dont le rôle est de tester le héros, de le mettre à l'épreuve afin de déterminer sa fidélité à l'égard de la reine. L'épisode de la charrette était le test de l'honneur chevaleresque ; celui-ci est le test de la loyauté courtoise. Pris entre deux obligations également puissantes – son amour pour la reine, et son devoir à l'égard d'une demoiselle – Lancelot réussit à concilier les deux en respectant à la lettre le contrat qui le lie à la jeune fille, tout en refusant d'en faire plus, ce qui l'amènerait à trahir la reine.

La mise en scène du viol – on apprend en fait un peu plus tard qu'il s'agit d'un coup monté par la jeune fille pour contraindre Lancelot à la défendre –, avec ses riches connotations fantasmatiques, permet à la prouesse de Lancelot de s'exercer dans des circonstances-limites : il est seul, et désarmé, contre six combattants. C'est d'ailleurs le moment où se manifeste ce que l'on appelle le sens de l'humour de Chrétien de Troyes, plaçant un monologue intérieur de son héros au cœur d'une séquence qui semble requérir une prompte action. En outre, l'effet comique est renforcé par la manière dont la scène suivante – le chevalier reçu en récompense naturelle de ses bons et loyaux services dans le lit de la demoiselle qu'il a sauvée d'un sort « pire que la mort » – est subvertie de l'intérieur : la damoiselle a gardé sa chemise, le chevalier aussi, il se terre dans un coin du lit, il ne dit mot, il prend garde de ne pas même effleurer la jeune fille : comportement anti-courtois, en fait, qui ne se justifie qu'en raison de l'amour que Lancelot porte à une autre dame.

Le peigne et les cheveux

La scène du peigne constitue le pendant de celle des trois gouttes de sang dans *Le Conte du Graal*. Le cadre – une fontaine, un perron de pierre au cœur de la forêt – semble suggérer une dimension féerique de la reine Guenièvre. Le chevalier se comporte en « fin'amant », puisqu'il ne prête aucune attention à l'objet précieux en lui-même, le peigne d'or qu'il donne sans hésitation à la demoiselle qui l'accompagne (une nouvelle fois, la nature complexe de ces figures secondaires de la fiction apparaît, puisque c'est elle qui sait – comment ? – à qui appartient le peigne, et qu'elle veut précisément éviter le perron, pour épargner une faiblesse humiliante au chevalier dont elle pressent les réactions...), et considère comme un trésor sans égal les quelques cheveux d'or qu'il serre contre son sein. Le peigne sert d'ailleurs de repoussoir aux cheveux, en autorisant la comparaison entre le métal ciselé et la qualité supérieure de l'or de la chevelure royale, ce qui est l'occasion d'un morceau de bravoure rhétorique inégalé. Le leitmotiv du « fin or » fait écho à la terminologie de la « fin'amor » et contribue à mettre en perspective les enjeux de l'aventure.

Le prétendant éconduit

La seule fonction apparente de cet épisode est de faire « couleur locale », en quelque sorte, d'illustrer les coutumes du royaume de Logres, dont Chrétien de Troyes, de roman en roman, semble se complaire à constituer un catalogue. La réaction de la « maisnie » du jeune présomptueux et, à l'opposé, celle de son père, fournissent un nouvel aperçu de la manière dont l'information est diffusée à travers l'espace romanesque : tout le monde est au courant de l'aventure de la charrette, et le « chevalier charreté » est reconnu partout où il passe. Il faut la sagesse d'un « chevalier chenu » pour pressentir que derrière cette conduite déshonorante il y a sans doute l'un des meilleurs chevaliers du monde, et pour refuser de courir le risque d'un combat peut-être inégal. Désormais la prouesse du chevalier anonyme aura des témoins : de demoiselle en demoiselle, de prisonnier en adversaire potentiel, se crée une sorte de cortège, parallèle à celui de la reine, dont la fonction est d'assister à la séquence centrale du cimetière, et de répandre ensuite la bonne nouvelle.

LE CIMETIÈRE

RÉSUMÉ

Le chevalier et sa damoiselle arrivent à une chapelle située près d'un cimetière entouré de murs. Le chevalier met pied à terre et va prier dans la chapelle. Il y rencontre un vieux moine à qui il demande ce que dissimule le mur : le moine l'invite à visiter le cimetière, où se trouvent des tombes splendides, sur lesquelles sont inscrites les noms des chevaliers de la Table Ronde. Le chevalier demande quel est le sens de cette aventure, et le moine lui répond que les inscriptions se suffisent à elles-mêmes : après leur mort, c'est là que reposeront Yvain, Gauvain, etc. Le chevalier demande alors pour qui est une tombe qui surpasse toutes les autres en taille et en beauté. Le guide lui en vante la perfection, tout en lui déclarant qu'il ne pourra pas s'en rendre compte par lui-même, parce qu'il faudrait sept hommes pour lever la pierre tombale; il récite alors l'inscription que porte ce monument : c'est là que reposera celui qui libérera les prisonniers du royaume dont on ne revient pas, et seul ce héros serait capable de soulever seul la lame. Le chevalier n'a pas plutôt entendu ces mots qu'il s'approche de la tombe et soulève la pierre sans difficulté, pour la plus grande émotion du moine qui s'empresse de lui demander son nom. Le chevalier répond par une formule évasive («Je suis, dit-il, un chevalier, originaire du royaume de Logres»), puis il quitte le cimetière et remonte à cheval. Le moine s'enquiert auprès de la demoiselle de l'identité de son compagnon, mais elle doit avouer qu'elle l'ignore; elle sait cependant qu'il est le meilleur chevalier du monde. Tous deux s'éloignent, cependant que le vavasseur et son fils présomptueux arrivent à leur tour à la chapelle où ils demandent au moine le récit des événements récents. La valeur du chevalier anonyme étant ainsi prouvée de manière indiscutable, le père fait remarquer à son fils qu'il a eu bien raison de ne pas le laisser combattre un tel adversaire.

COMMENTAIRE

Il s'agit là d'un épisode essentiel, puisque s'y manifeste de façon éclatante la prédestination de Lancelot. La version qu'en donne Chrétien de Troyes, toutefois, pose presque plus de questions qu'elle n'en résout, et cela explique pourquoi le *Lancelot* en prose du XIIIe siècle réorganise la séquence selon une logique plus apparente, et la complète par une glose explicite. La valeur symbolique du lieu est évidente : le cimetière est l'antichambre de l'Autre Monde, et celui-ci se trouve pour ainsi dire aux portes du royaume de Gorre. Le simple fait que le chevalier s'y arrête constitue une preuve de sa valeur : l'un des problèmes de Perceval, dans *Le Conte du Graal*, vient de ce qu'il ne pense pas à prier Dieu en dépit des conseils de sa mère.

Le chevalier sans nom est désigné par l'organisation du cimetière comme le meilleur chevalier du monde, meilleur que Gauvain et Yvain qui sont traditionnellement les étalons de la valeur chevaleresque. Comme il se doit, l'inscription prophétique qui le concerne est composée en termes énigmatiques. Il est à noter qu'elle ne fait pas mention de la reine : c'est le prétexte qui fait agir Lancelot, mais en poursuivant cette quête individuelle, courtoise, mais d'une certaine façon égoïste, il va aussi accomplir un plus grand dessein, en libérant tous les prisonniers du royaume de Gorre – dont le nom n'est pas mentionné dans cette séquence, pas plus que celui du héros qui accomplira l'aventure.

La conscience que Lancelot a de sa prédestination - il marche sans hésiter sur la lame qu'il faut soulever, dès que le moine l'a informé des conditions de la merveille – va de pair avec sa réserve, souvent interprétée, selon une lecture qui a le tort d'être trop moderne et psychologique, comme de la modestie. Lancelot est le chevalier qui ne veut jamais dire son nom. À ce stade de l'œuvre, il n'en a pas encore, de toute manière, mais même par la suite, il continuera à circuler anonymement dans l'univers arthurien, et à répondre par des périphrases évasives ou des refus catégoriques aux questions indiscrètes des personnages secondaires. Il est la quintessence du chevalier, et du même coup il est en quelque sorte convenable qu'il n'ait pas de nom. Par ailleurs, on peut sans doute voir dans ce silence la trace d'une conception magique du monde, selon laquelle qui connaît le nom d'une personne possède un certain pouvoir sur elle : en restant anonyme, le chevalier préserve sa force et sa puissance. (On pourrait peut-être mettre en relation cette caractéristique spécifique de Lancelot avec le trait curieux de la force de Gauvain qui croît et décroît avec le soleil : ces souvenirs d'une structure plus ancienne prouveraient l'origine mythique des deux héros.)

SUITE DU VOYAGE DE LANCELOT

RÉSUMÉ

La nuit chez le vavasseur de Logres

Cette nuit-là, le chevalier est hébergé chez un vavasseur qui a deux fils et trois filles. Ce vavasseur et sa famille sont originaires de Logres, mais ils sont en prison dans cette terre depuis très longtemps (ce qui donne à entendre qu'on a déjà atteint les marches de Gorre). L'hôte, qui a entendu parler d'un chevalier venu pour libérer la reine, et qui doit mettre un terme à la captivité des gens de Logres, soupçonne qu'il s'agit de son visiteur, et lui pose la question, en promettant de le conseiller en échange sur la route à suivre. Le chevalier reconnaît bien volontiers l'objet de sa quête, mais il continue à dire seulement qu'il est un «chevalier du roi Arthur». Informés de ce qui s'est passé au cimetière prophétique, et désireux de savoir la suite des événements, les deux fils du vavasseur obtiennent l'autorisation d'accompagner le chevalier le lendemain, après qu'il a décliné, comme on pouvait s'y attendre, de suivre le chemin détourné, mais moins dangereux, qui aurait pu le conduire au cœur du royaume de Gorre sans passer par le Pont de l'Épée. La prochaine étape est un étroit défilé appelé le Passage des Pierres, où nul chevalier n'a réussi à passer jusqu'à présent.

Le Passage des Pierres

Le chevalier accompagné des deux jeunes gens (non encore adoubés, et rêvant de l'être par le futur libérateur des prisonniers) parvient au Passage des Pierres, gardé par un chevalier et deux sergents à pied. Le chevalier le défie immédiatement, et est renversé au cours de la joute subséquente; les deux sergents font semblant d'attaquer le héros, mais en fait ils n'ont garde de lui faire du mal, et il passe victorieusement à travers le défilé. L'un des deux écuyers conseille à l'autre d'aller annoncer la nouvelle à leur père, mais celui-ci refuse, et tous deux décident d'accompagner le héros dans sa marche triomphale.

Le tournoi des rebelles

Au cours de leur progression, ils rencontrent un messager qui leur apprend que les prisonniers originaires de Logres, apprenant l'arrivée du libérateur, se sont soulevés contre ceux de Gorre pour lui manifester leur soutien, et qu'ils sont en train de se livrer un grand tournoi. Les trois voyageurs décident de se joindre à leurs «amis», mais ils sont par traîtrise enfermés dans une tour hermétiquement close. Ils croient d'abord qu'il s'agit d'un enchantement, mais le chevalier anonyme a un anneau qui lui permet de détecter la présence de la magie (cet anneau lui a été donné par une fée qui l'a élevé, et à qui il s'adresse en regardant l'anneau pour savoir ce qu'il en est); convaincus de n'avoir affaire qu'à des obstacles naturels, ils dépècent la barre de la porte avec leurs épées, et peuvent rejoindre le tournoi, où ils se rangent du côté de ceux de Logres. Ceux-ci, victorieux bien sûr grâce au héros, lui font fête et se querellent pour savoir qui l'hébergera la nuit suivante. Le chevalier les réconcilie, choisit l'hôtel qui le détourne le moins de sa route, et continue son chemin le lendemain avec pour seuls compagnons les deux fils du vavasseur.

Le chevalier outrecuidant

Au manoir où les voyageurs séjournent la nuit suivante arrive un chevalier très orgueilleux, qui lance un défi au chevalier anonyme, lui reprochant d'avoir entrepris de passer le Pont de l'Épée alors qu'il est un chevalier «failli», déshonoré, puisqu'il a été charreté. Tous ceux qui entendent ces accusations sont mortellement inquiets. Le chevalier provocateur propose alors au héros de lui faire traverser la rivière en bateau, lui évitant ainsi le Pont de l'Épée; mais il prendra peut-être un péage, dit-il : une fois sur l'autre rive, il se peut qu'il coupe la tête à son passager... Évidemment, le chevalier anonyme refuse, et choisit de combattre sur-le-champ son adversaire.

Après la joute, commence le combat à l'épée, et tous deux se battent comme s'ils se haïssaient à mort. Honteux d'avoir tant tardé à remporter la victoire devant les nombreux spectateurs, le chevalier anonyme mène finalement son adversaire à merci. Il accepte de l'épargner, à condition qu'il monte à son tour sur la charrette. L'autre s'y refuse avec horreur, disant qu'il aimerait mieux mourir cent fois, mais se déclare prêt à promettre n'importe quoi d'autre pour avoir la vie sauve. À ce moment arrive au grand galop de sa mule une demoiselle qui demande au chevalier anonyme un don : celui-ci y consent, sauf son honneur. Elle lui apprend alors qu'elle veut la tête du chevalier outrecuidant, qui est d'une grande félonie, et que s'il lui rend ce service elle aura l'occasion de le «guerredoner», c'est-à-dire de l'en récompenser, par la suite. Le chevalier vaincu supplie son adversaire de l'épargner, et pitié et largesse se livrent un combat sans merci dans l'âme du chevalier : doit-il tuer un chevalier qui lui demande grâce, ou doit-il refuser à une demoiselle le service dont elle le prie ? Finalement il offre au chevalier de reprendre le combat : s'il est vaincu une seconde fois, rien ne pourra le sauver. À l'issue de la seconde bataille, plus rapide que la première, c'est en effet ce qui se produit : le chevalier anonyme tranche la tête à son ennemi, et la donne à la demoiselle qui s'en va ravie, en répétant qu'il n'a pas été généreux en vain, et qu'il aura bien besoin de son aide par la suite.

Tous les spectateurs sont ravis de l'issue du combat. Le fils du vavasseur chez qui le héros est hébergé lui fait don d'un cheval pour remplacer celui qui a été tué. La soirée se passe agréablement, et le lendemain, la petite troupe arrive au Pont de l'Épée.

COMMENTAIRE

Par certains côtés, toute cette séquence constitue du «remplissage» : aucun des épisodes qui la composent n'est véritablement indispensable, mais ils contribuent à donner de l'épaisseur au récit, et par ailleurs ils constituent une anthologie des motifs de l'aventure bretonne, telle qu'elle va apparaître dans de nombreux romans ultérieurs. L'aventure du «Passage des Pierres», par exemple, semble l'ébauche d'un développement plus considérable, qui n'est pas exploité ; on a l'impression de voir affleurer des motifs plus ou moins liés au mythe ou au folklore, que le romancier intègre à sa «conjointure», sans pour autant se laisser déborder par eux.

La dimension messianique

La quête de la reine passe au secon plan : elle reste bien sûr l'élément moteur, et chacun sait que c'est pour le compte de Guenièvre que le chevalier a entrepris cette quête, mais dans les faits, la séquence a plutôt trait à l'aspect politique, et messianique, de l'aventure : depuis des années, tous les prisonniers attendent l'accomplissement d'une prophétie, la venue du chevalier libérateur. La rumeur, qui est le meilleur mode de diffusion des informations dans un texte médiéval, circule que ce libérateur est arrivé, et un cortège enthousiaste se forme au fur et à mesure que le héros remplit une à une les conditions qui confirment qu'il est bien l'élu. C'est à ce titre que les prisonniers, qui ont apparemment subi sans protester leur destinée, se rebellent soudain : il n'est pas question pour eux de briser le joug qui leur est imposé, mais de marquer symboliquement qu'ils soutiennent le libérateur. En ce sens, le tournoi entre chevaliers de Logres et chevaliers de Gorre, qui ressemble beaucoup aux tournois surnaturels entre représentants de Dieu et représentants du diable dans *La Queste del saint Graal*, ne constitue pas une étape essentielle dans la progression de l'action, mais a une forte valeur rituelle et symbolique.

Le chevalier outrecuidant

Le cas du dernier épisode est un peu différent. Il va de soi que la multiplication des étapes a pour but avant tout de faire percevoir l'éloignement physique aussi bien que symbolique qui existe entre le royaume de Logres et celui de Gorre (noter au passage l'allitération). Mais le chevalier outrecuidant, qui provoque sans raison valable le héros, et semble un double affaibli de Méléagant, le champion de Gorre, joue un rôle plus important. D'une part, il s'agit d'une figure presque obligée dans le répertoire des motifs romanesques. D'autre part, lié à l'apparition de la demoiselle inconnue, son destin va influer fortement sur celui du chevalier anonyme : en effet, c'est par le système du don et du contre-don que progresse le plus souvent l'action. En l'occurrence, Lancelot, tout en manifestant de manière éclatante sa vertu chevaleresque – il consent à « donner une chance » à son adversaire, c'est-à-dire à recommencer un combat censément terminé –, et sa courtoisie – il ne peut envisager de refuser à une demoiselle ce qu'elle lui demande –, acquiert pour l'avenir un « chèque en blanc » qui lui sera très utile. Sur le plan de la composition romanesque, l'épisode fonctionne comme l'une des ces « annonces » qui se réalisent dans la suite du récit, et qui en constituent l'armature. Le personnage de la demoiselle anonyme (qui le restera jusqu'à la fin du texte!) présente de fortes connotations féeriques, bien que naturellement, comme tout le reste du royaume de Gorre, elle soit fortement évhémérisée.

LE PONT DE L'ÉPÉE

RÉSUMÉ

Le chevalier arrive enfin au Pont de l'Épée : le spectacle est impressionnant, et terrifie ceux qui l'accompagnent. L'eau du fleuve coule rapide et noire « comme si c'était le fleuve d'Enfer », et quiconque y tombe ne peut espérer de salut ; le « pont » lui-même est en effet une épée, longue comme deux hommes, fichée aux deux extrémités dans un tronc d'arbre. Sur l'autre rive, deux lions féroces semblent prêts à dévorer l'imprudent qui réussirait à franchir le pont. L'un des chevaliers qui accompagnent le héros essaie de le dissuader d'entreprendre cette tâche impossible : « il serait plus facile à un homme, dit-il, de retourner dans le ventre de sa mère et de renaître une seconde fois, qu'à qui que ce soit de traverser ce fleuve mortel. Sans compter que les deux lions ne manqueront pas de dévorer toute personne mettant le pied sur l'autre rive : rien qu'à les regarder, lui-même se sent défaillir. » Le héros ne se laisse pas impressionner ; il se déchausse et enlève ses gantelets de fer, afin d'avoir meilleure prise sur la lame de l'épée ; il préfère se blesser les mains et les pieds que risquer une chute irrémédiable dans le fleuve. En ce qui concerne les lions, il avisera une fois sur place. Il réussit à traverser en effet, en s'ensanglantant les pieds et les mains. Une fois sur l'autre rive, il cherche les lions, mais n'en voit aucune trace. À l'aide de son anneau il vérifie alors qu'il s'agissait bel et bien d'enchantements trompeurs.

Du haut de sa tour, le roi Baudemagu a assisté à la prouesse du chevalier et en est tout heureux. Il suggère à son fils Méléagant, responsable de l'enlèvement de la reine, de rendre celle-ci sans combat, car c'est bien évidemment elle que le héros vient chercher. Méléagant, aussi cruel et félon que son père est bon et loyal, refuse absolument cette solution : quoi qu'en dise son père, rien ne prouve que le chevalier est le « meilleur du monde ». Devant l'obstination de son fils, Baudemagu lui fait savoir que lui-même et ses hommes ne lèveront pas la main contre le chevalier étranger, mieux encore, qu'il l'« assure » en tant que roi et lui offrira l'hospitalité jusqu'à ce qu'il soit en état de combattre pour la reine.

Baudemagu vient alors à la rencontre du chevalier qui est en train d'étancher ses plaies au mieux qu'il peut. Il le salue très courtoisement, lui apprend tout de suite que la reine est saine et sauve, et que personne, pas même Méléagant qui le souhaiterait pourtant fort, n'a le droit de la toucher. Il n'est donc pas urgent qu'ait lieu la bataille par laquelle elle sera officiellement libérée : le chevalier pourra séjourner deux ou trois semaines en Gorre, en attendant que ses plaies soient guéries. Lancelot répond qu'à son gré la bataille aurait lieu sur-le-champ, car il ne sent aucun mal, mais par déférence pour le roi il accepte de la reporter au lendemain. C'est là sa seule concession. Baudemagu, qui souhaite rétablir la paix, fait une ultime tentative auprès de son fils : Méléagant est tout aussi désireux de combattre pour accroître son « prix » que Lancelot. Baudemagu renonce, tout en prédisant à son fils qu'il s'en repentira.

COMMENTAIRE

Le Pont de l'Épée

Enfin, le chevalier prédestiné arrive au Pont de l'Épée : les étapes du récit ont eu pour effet d'accroître la tension, et la curiosité du lecteur à l'égard de cet objet inimaginable est à son comble. Il s'avère que la métaphore du « pont tranchant comme une épée » est carrément prise au pied de la lettre : le pont *est* une épée, ce qui donne à toute la scène une dimension onirique. Cependant le texte insiste sur les détails pratiques, s'efforçant en quelque sorte de rationaliser autant que possible un décor qui n'est absolument pas conforme à la raison mais relève du discours allégorique : l'épée est solidement fichée dans des supports de bois à chaque extrémité, elle ne risque pas de se briser car elle est assez solide pour porter le poids d'un homme, etc.

En fait, le pont n'est pas l'élément le plus spectaculaire dans la description de Chrétien. L'accent est mis avant tout sur le fleuve qui coule sous le pont, sur l'eau noire, « roide » c'est-à-dire rapide, profonde, bruyante, et en définitive, «aussi laide et épouvantable que s'il s'était agi du fleuve du diable» : on ne saurait mieux dire! Le fleuve qui marque les limites de la terre dont on ne revient jamais est bel et bien le Styx, et le royaume de Gorre n'est autre que l'Enfer, un Enfer celtique plus ou moins christianisé et hâtivement maquillé en territoire humain, où subsiste néanmoins une part de surnaturel, mais contrôlable, quantifiable en quelque sorte, de ce surnaturel qui répond à l'appellation générique de «merveille», et peut être mis en déroute grâce à un anneau magique qui dévoile les enchantements.

Sans doute les deux lions que l'on croit apercevoir sur l'autre rive ne sont-ils autre chose, sur le plan symbolique, que les «deux rois», Méléagant et Baudemagu, qui gardent l'entrée de leur royaume. Évidemment, la présence de ces bêtes féroces, qui rappelle la présence dans les Enfers grecs du chien tricéphale Cerbère, et les comparaisons qui assimilent l'Enfer chrétien à un lion dévorant, contribuent à souligner la dimension infernale du royaume de Gorre, alors que tout le discours du roi Baudemagu à l'adresse de Lancelot va au contraire s'efforcer de créer une impression de normalité chevaleresque totale. Pour le lecteur moderne, il y a presque un effet de comique dans ce contraste entre une scène spectaculaire, qui met au service d'une description impressionnante toutes les ressources de la rhétorique classique, et la conduite «courtoise» ou, si l'on veut, bourgeoise, de Baudemagu, s'enquérant de la santé du chevalier comme si rien n'était plus naturel que d'entrer dans le domaine de quelqu'un en s'ensanglantant les pieds et les mains à un pont constitué par une épée.

Les deux visages du pouvoir

Méléagant, en fait, conserve encore bien des traits de la figure mythique qui s'efface peu à peu pour faire place à des personnages «humains», dotés, entre autres, d'une psychologie inconnue de leurs prédécesseurs. Baudemagu, dans la mesure où il incarne le côté positif de la royauté, s'est rapproché davantage du modèle chevaleresque et courtois. Le père et le fils, tout en reproduisant la structure illustrée à un autre niveau par Arthur et Gauvain, entre un roi *deus otiosus* et son héritier qui a assumé la dimension active du personnage, incarnent aussi les deux faces du pouvoir, bénéfique et maléfique. Le débat entre Méléagant et Baudemagu emblématise à loisir l'opposition entre les deux personnages : Méléagant le résume lui -même en deux vers : «Soyez bon tant que vous voulez, mais laissez-moi être cruel.» Il ne s'agit pas d'une différenciation psychologique, mais d'une complémentarité fonctionnelle. Baudemagu incarne la loi, Méléagant la force brute qui ne s'y plie que difficilement. Lancelot, à l'opposé, représente une synthèse entre ces deux principes, puisqu'il est à la fois le meilleur chevalier du monde, et le plus courtois.

LA PREMIÈRE BATAILLE

RÉSUMÉ

Le chevalier est bien hébergé pendant la nuit, et un chirurgien se préoccupe de soigner ses plaies. Pendant ce temps, tous les prisonniers de Gorre se rassemblent au château afin d'assister à la bataille dont dépend leur liberté. Au matin, une foule considérable se prépare à assister au combat. Les gens de Logres ont beaucoup prié pour leur champion. Baudemagu, qui a fait porter une très belle armure et un bon destrier à Lancelot, essaie une dernière fois de dissuader son fils de combattre : en vain. Il monte alors aux loges, après avoir placé à une fenêtre de la tour la reine Guenièvre, qui lui a demandé la grâce de pouvoir elle aussi assister à la bataille.

Celle-ci commence, « moult felenesse ». Mais en dépit de sa prouesse, le chevalier qui a traversé le pont est affaibli par ses blessures, et il semble d'abord que le combat ne tourne pas à son avantage. Une demoiselle avisée se dit qu'il combattrait mieux sans doute s'il savait que la reine le regarde, car c'est pour elle, et non pour les autres prisonniers, qu'il a entrepris cette quête. Mais pour attirer son attention, il lui faudrait l'appeler par son nom, et elle ne le connaît pas. Elle va donc s'adresser à la reine, qui lui révèle qu'il s'agit de Lancelot du Lac (vers 3676). Interpellé par la demoiselle, Lancelot se retourne et voit la reine : il est à ce point fasciné par elle qu'il ne peut en détacher ses regards et ne combat plus que faiblement et maladroitement. Les prisonniers de Logres sont consternés, et la demoiselle intervient une nouvelle fois, faisant honte à Lancelot de sa déchéance. Lancelot l'entend, et furieux contre lui-même, retrouve toute sa prouesse. Il s'arrange pour placer Méléagant entre lui et la tour où se trouve la reine, si bien qu'il peut continuer à la contempler tout en combattant.

Il fait ce qu'il veut de son adversaire, qui est si mal en point que son père, le roi Baudemagu, veut mettre fin au combat. Mais il sait que Lancelot n'y consentira pas, à moins que la reine ne l'en prie. Il va donc demander à Guenièvre grâce pour son fils. Dès que Lancelot, placé à portée de voix, a entendu l'accord de sa dame, il cesse de frapper Méléagant, se bornant à parer les coups de son adversaire qui, lui, ne renonce pas. Baudemagu descend sur le terrain, essaie une fois de plus de raisonner son fils, en lui faisant remarquer que tout le monde a vu qu'il était vaincu. Méléagant proteste avec véhémence, mais finalement le roi réussit à «faire la paix», et la bataille s'arrête pour cette fois.

COMMENTAIRE

Le nom de Lancelot

L'intérêt essentiel de cet épisode est que pour la première fois le nom du chevalier est prononcé. Alors que le roman a jusqu'alors usé de périphrases pour désigner le héros – et c'est parfois une vraie gageure, que de décrire un combat sans mentionner le nom d'aucun des deux combattants... –, on apprend soudain son nom, à peu près à la moitié de l'œuvre. Ce n'est d'ailleurs pas le romancier qui fournit cette information, mais la reine Guenièvre elle-même, c'est-à-dire le personnage-pivôt pour lequel le chevalier anonyme a accompli ces prouesses : il est juste, en quelque sorte, qu'il tire d'elle son identité. Il n'est rien sans elle, il ne prend sa valeur que par rapport à elle.

Les trois batailles

L'une des structures fondamentales des contes primitifs est la répétition ternaire des épisodes. C'est ce principe qui est exploité dans *Le Chevalier à la charrette*, où Lancelot et Méléagant combattent trois fois avant que ce dernier ne soit finalement mis à mort. La première bataille, au cours de laquelle Lancelot est à son désavantage, puisqu'il souffre des blessures acquises en traversant le pont, devrait néanmoins s'achever par sa victoire si Baudemagu n'intercédait pas en faveur de son fils. L'intervention du roi sert à démontrer, à la fois, l'outrecuidance de son fils, convaincu qu'il aurait pu l'emporter alors que tout le monde a pu voir qu'il était en difficulté, la magnanimité de la reine, qui n'hésite pas à sauver celui qui l'a enlevée, la conscience qu'elle a de son pouvoir sur Lancelot, et enfin la soumission totale de Lancelot à sa dame : il se laisserait hacher menu plutôt que de frapper encore celui dont la reine a demandé qu'il l'épargne.

L'extase devant la reine

L'épisode du peigne et des cheveux, celui du cortège de la reine passant sous la fenêtre à laquelle est appuyé Lancelot, ont déjà suggéré la tendance qu'a le chevalier à « perdre le sens » dès qu'il se trouve en présence de la reine. C'est un thème qui va devenir récurrent dans les romans ultérieurs, et qui, dans *Le Chevalier à la charrette* se conjugue avec celui de l'obéissance inconditionnelle. Lancelot est frappé d'extase chaque fois qu'il voit la reine : peu s'en faut alors que son adversaire ne le mette à sa merci. Cependant, comme Lancelot est aussi un excellent chevalier, on le voit dans cette scène concilier de manière adroite les deux impératifs inhérents à son personnage : il combat « au mieux » contre son adversaire, et en même temps il ne quitte pas sa dame des yeux. Il est dans une sorte de transe amoureuse, que seul peut briser un mot de sa dame.

LA REINE CRUELLE

RÉSUMÉ

On désarme les combattants, et on prend date pour achever la bataille d'ici un an, à la cour du roi Arthur, à cette condition que si Méléagant est vainqueur, la reine reviendra comme prisonnière au royaume de Gorre. Dans l'immédiat, cependant, elle est libre, et tous avec elle, car la coutume veut que lorsqu'un prisonnier est libéré, tous le soient du même coup. Baudemagu propose alors à Lancelot tout heureux d'aller voir Keu le sénéchal, et la reine. Cependant, celle-ci fait très mauvais accueil au chevalier, et déclare ne lui savoir aucun gré de ce qu'il a fait. Lancelot est désespéré, mais il «n'ose demander pourquoi». En dépit des instances de Baudemagu, la reine quitte alors la pièce sans ajouter un seul mot. Lancelot la suit des yeux, et son cœur l'accompagne au-delà de la porte qui s'est refermée. Baudemagu s'étonne, mais Lancelot ne peut lui expliquer la cause de cette attitude surprenante. Le roi l'emmène voir Keu, qui lui reproche de l'avoir déshonoré en accomplissant une prouesse dont lui s'est avéré incapable. Il lui dit ensuite avoir beaucoup souffert, et ne devoir son salut et sa guérison qu'à la courtoisie de Baudemagu : livré à lui-même Méléagant l'aurait fait mettre à mort de mille manières. Mais le roi l'a protégé, de même qu'il a pris la reine sous sa protection. À ce propos, est-il vrai qu'elle a refusé de le recevoir ? «Oui, répond Lancelot, mais qu'il en aille selon sa volonté».

Il prend alors congé de Baudemagu pour aller à la rencontre de Gauvain, accompagné d'une partie des prisonniers ; les autres restent auprès de la reine qui ne veut pas bouger avant l'arrivée de Gauvain. Quand la nouvelle se répand que désormais les mauvaises coutumes sont tombées et que chacun peut aller où il veut, les gens du pays qui n'ont pas assisté au combat s'indignent et pensent que cela fera plaisir à Baudemagu qu'on lui ramène Lancelot prisonnier. Une troupe de «Brabançons» s'empare de lui, et malmènent ceux qui l'accompagnaient, si bien que le bruit de la mort du héros se répand. La reine en est informée alors qu'elle est en train de dîner, et manifeste à haute voix sa grande douleur. Puis elle se livre à son désespoir dans le secret de sa chambre, et décide de se suicider puisqu'est mort celui pour qui elle vivait. En un long monologue elle exprime son chagrin et sa culpabilité : elle est bien sûre que c'est elle qui l'a tué par son mauvais accueil, et non pas les mercenaires de Gorre. Alors qu'elle aurait pu le recevoir dans ses bras et se donner à lui, elle lui a tourné le dos ; c'était par jeu, mais il ne l'a pas compris ainsi : elle est responsable de sa mort. Désormais elle ne prendra plus de nourriture, et suivra son ami dans la mort. En deux jours de jeûne sa grande beauté se fane, et le bruit court qu'elle est morte.

COMMENTAIRE

L'arbitraire de l'amour

Alors que tout le monde s'attend à ce que la reine accueille avec des manifestations d'enthousiasme celui qui vient de la sauver au péril de sa vie, Guenièvre fait preuve d'une extrême froideur, et proclame hautement qu'elle n'éprouve aucune reconnaissance pour Lancelot : attitude injustifiable, et injustifiée. Cependant, au contraire de Baudemagu qui proteste et s'indigne, Lancelot ne manifeste aucun déplaisir : il est entièrement soumis au bon vouloir de sa dame, elle est libre d'agir comme il lui plaît. Il respecte sa volonté au point de ne même pas vouloir demander d'explication. Il exprime sa tristesse (« cela me peine »), et peut-être, s'il en avait le loisir, commencerait-il à se lamenter comme un bon troubadour, mais il ne fait pas le moindre reproche à sa dame. Quel que soit le service qu'un chevalier rend à celle qu'il aime, il n'a aucun droit sur elle ; la réciprocité de l'amour n'est pas nécessaire dans le jeu courtois.

Le monologue de Guenièvre

Il faut un enchevêtrement de circonstances secondaires pour que la situation soit en quelque sorte inversée, et que le lecteur pénètre dans l'intimité des sentiments de la reine. (Notons au passage qu'en dépit de sa douleur à se voir rejeté, Lancelot n'envisage pas de se suicider dans l'immédiat : il continue à se conduire en bon chevalier, faisant son devoir jusqu'au bout. Seule la nouvelle que la reine est morte peut l'acculer au désespoir. Ses rigueurs sont trop naturelles pour qu'il songe à s'en étonner ou à réagir de manière extrême). Celle-ci donne tous les signes du plus profond désespoir, et s'accuse d'être responsable de la mort de son ami. Tout en prétendant avoir agi « par jeu » - alors qu'elle donnera plus tard à Lancelot une autre explication de sa conduite, elle remet en fait en cause le code courtois selon lequel une dame ne saurait manifester tout naturellement ses sentiments, mais se soucie avant tout de mettre à l'épreuve la soumission de son ami. En regrettant ce qui n'a pu avoir lieu, ce qu'elle aurait dû dire et faire, Guenièvre prépare aussi le lecteur à cette scène exorbitante qu'est la nuit d'amour, idéal normalement inaccessible dans le cadre d'une relation courtoise traditionnelle.

RETROUVAILLES DES AMANTS

RÉSUMÉ

Le malentendu continue : Lancelot, que les habitants de Gorre ramènent prisonnier à la cour de Baudemagu, entend dire que la reine est morte. Son désespoir est à son comble, et il essaie de se suicider en s'étranglant avec sa ceinture, non sans s'être abondamment lamenté sur la cruauté de la Mort. Il se laisse alors tomber de cheval, après avoir attaché sa ceinture à l'arçon de sa selle et l'avoir nouée à son cou comme un nœud coulant. Ses geôliers le croient évanoui, s'empressent autour de lui, et desserrent le lacet fatal. Ramené à la vie malgré lui, Lancelot reprend ses lamentations : pourquoi la mort ne veut-elle pas de lui ? Mais c'est justice au fond, car il aurait dû se tuer dès que sa dame lui a fait « mauvais semblant ». À partir de là, il s'interroge sur les raisons de la conduite de la reine. Que ne lui a-t-il demandé des explications : il aurait été tout près à faire amende honorable de ce dont elle l'accusait. Peut-être lui en veut-elle d'être monté sur la charrette ? Pourtant, c'est une preuve d'amour que d'être prêt à tout faire pour quelqu'un, même se déshonorer aux yeux du monde. Hélas ! Il a joué au jeu courtois jusqu'à ce que le jeu se retourne contre lui !

Là-dessus arrive la nouvelle que la reine n'est pas morte ; Lancelot se réconforte aussitôt. Entre-temps, Baudemagu est informé que Lancelot est vivant et prisonnier de ses gens ; il l'annonce à la reine, qui en est toute heureuse et se promet bien de ne plus faire grise mine à son ami quand elle le reverra, d'autant qu'elle apprend aussi qu'il a voulu mourir pour elle : elle en est très contente, mais encore plus de ce qu'il n'y soit pas parvenu. Dès que Lancelot arrive à la cour, Baudemagu se précipite à sa rencontre et lui fait fête ; puis il menace les individus zélés qui ont fait prisonnier Lancelot et l'ont ainsi déshonoré, lui qui avait donné sa parole qu'il ne serait pas inquiété. Lancelot réussit cependant à apaiser sa colère, et le roi l'emmène ensuite voir la reine.

Cette fois, celle-ci lui fait très bon accueil, et le prend par la main pour le faire assoir à ses côtés : Amour leur fournit bien des sujets de conversation. La reine prétend que c'est le retard mis par Lancelot à monter sur la charrette (il a hésité le temps de faire deux pas) qui a causé son mécontentement précédent, et Lancelot la supplie de lui pardonner; mais il n'a pas le loisir de lui dire tout ce qu'il voudrait, aussi la reine lui indique-t-elle du coin de l'œil une fenêtre de sa chambre, et l'invite à venir lui parler à cette fenêtre pendant la nuit qui vient. Mais elle précise bien qu'il ne pourra pas entrer dans la chambre, où d'ailleurs dort Keu le sénéchal, pour la garder.

COMMENTAIRE

Les reproches à la mort

Lieu commun du lyrisme, le reproche à la Mort allégorisée qui a emporté une créature exceptionnelle, apparaît dans de nombreux textes médiévaux, depuis les chansons des troubadours (un genre particulier que ceux-ci pratiquent est précisément le *planh*, ou déploration funèbre, qui fait l'éloge du défunt et regrette sa disparition prématurée) jusqu'aux prosimètres des « Grands Rhétoriqueurs ». Lancelot adopte en cette circonstance un point de vue absolument anti-chrétien : sa seule divinité est la reine, et si celle-ci a disparu, alors il ne veut plus vivre. Il lui faut donc contraindre la Mort, qui s'acharne toujours sur les bons et néglige les malheureux qui l'appellent pourtant de leurs vœux, à le prendre à son tour. La maladresse invraisemblable de ses préparatifs pratiques en vue de son suicide démontre bien qu'il s'agit avant tout d'une prise de position rhétorique : la mort de l'amant courtois a lieu dans le champ du discours. Quand il s'agit de passer aux actes, le texte s'embrouille et dérape.

La rhétorique courtoise

Après Guenièvre, c'est Lancelot qui entreprend d'analyser ses sentiments en grand style courtois : il décrit avec précision la position intenable de l'« ami », qui ne parvient jamais à en faire assez pour satisfaire une dame dont la qualité maîtresse est d'être inaccessible, et implacable. L'ironie centrale du passage porte sur la séquence de la charrette : Lancelot ne voit pas d'autre raison au courroux de la reine contre lui, que le fait qu'il ait accepté de monter sur le véhicule d'infamie, même pour une «bonne cause». Or, un peu plus tard, la reine va en fait – même si c'est sur le ton de la plaisanterie – lui reprocher exactement l'inverse, c'est-à-dire de n'y être pas monté sans la moindre hésitation : le code courtois entre en conflit avec le code de l'honneur chevaleresque, et il est très difficile de s'y retrouver.

Une intrigue digne des meilleurs feuilletons

Afin de permettre au quiproquo amoureux de se dérouler comme il convient, chacun des personnages croyant l'autre mort et réagissant à cette nouvelle par un désir de suicide, le scénario s'efforce d'étoffer une intrigue des plus minces : après tout, l'histoire est finie. La reine est libérée, avec elle tous les prisonniers de Logres sont également libres de repartir dans leur pays, et la date de la bataille de Méléagant contre Lancelot est fixée. Du point de vue narratif, il ne peut plus se passer grand-chose. Il faut donc fournir une activité à Lancelot, et à partir de là inventer des rebondissements assez artificels, et de toute manière d'un intérêt limité. L'attente de Gauvain permet de gagner un peu de temps, en donnant à la reine un prétexte pour rester en Gorre. Mais l'intervention des habitants de Gorre convaincus que leur roi désire l'emprisonnement de Lancelot n'est guère convaincante ni du point de vue logique, ni du point de vue dramatique. Tout au plus autorise-t-elle, dans les interstices d'une trame narrative très lâche, l'épanouissement du discours casuistique courtois.

LA NUIT D'AMOUR

RÉSUMÉ

Lancelot se retire alors, en proie à un bonheur intense. La journée lui paraît bien longue, tant il attend la nuit avec impatience. Enfin, le soir tombe; Lancelot feint d'être fatigué et se retire très tôt. À la minuit il rejoint la reine qui l'attend comme promis à la fenêtre. Tous deux échangent les paroles qu'ont coutume d'échanger les amants, et la reine en vient à regretter la présence des barreaux qui les séparent. Lancelot se déclare prêt à les arracher de ses mains si elle l'y autorise. La reine accepte, mais prend la précaution de regagner son lit avant que son ami ne se lance dans cette opération qui risque d'être bruyante ; en effet, le sénéchal Keu dort en travers de sa porte pour la garder. Lancelot vient à bout des barreaux ; mais ce faisant il s'ensanglante les mains, au demeurant mal cicatrisées après sa traversée du Pont de l'Épée. Cependant, tout à sa joie de pouvoir rejoindre la reine, il ne s'en aperçoit pas. Guenièvre le reçoit comme son « ami », et il s'abîme dans une véritable extase amoureuse, qui s'apparente à l'extase mystique. Au petit matin, il quitte la chambre, la mort dans l'âme, en remettant en place le barreau derrière lui : il laisse son cœur auprès de la reine, et rentre à regret à son logement : il ne saurait être question de fixer un autre rendez-vous. La reine s'endort en songeant à son ami, sans se rendre compte que les draps sont tachés de sang.

COMMENTAIRE

Importance du passage

L'épisode est très bref mais c'est évidemment le point culminant de l'œuvre. Tout ce qui suit peut être assimilé à du remplissage, et d'ailleurs Chrétien lui-même n'a pas tardé à abandonner son roman, qui ne présente plus d'intérêt. Il semble clair que dans l'esprit de l'auteur cette nuit devait rester unique : l'amour courtois n'est pas conçu comme une liaison insérée dans le temps, mais comme une attitude d'esprit qui s'incarne brièvement – et encore n'est-ce pas obligatoire. Le texte souligne qu'un autre rendez-vous n'est pas envisagé, et rejette cette possibilité comme totalement inimaginable. La nuit qui réunit Lancelot et la reine s'apparente au « joï » espéré par les troubadours : un moment d'extase dont l'attente, puis le souvenir, suffisent à alimenter l'amour qu'on dit courtois.

Adoration et réciprocité

La reine joue dans l'épisode un rôle assez passif : elle accepte que Lancelot la rejoigne, mais prend soin de ne pas mettre en danger sa réputation. Cependant, le texte fait dans ces vers un effort pour multiplier les indices de réciprocité qui prouvent que l'amour de Lancelot est partagé. Le problème est que l'attitude de la reine est bien davantage conforme au code courtois quand elle renvoie son ami pour une faute presque imaginaire ou pour un caprice. Il n'y a place dans l'espace de la courtoisie que pour des statues de femmes impitoyables, à peu près dépourvues d'humanité; le lecteur a peine à croire à la métamorphose de la reine en amante passionnée. En revanche, Lancelot ne cesse pas une minute de se conformer à son personnage. Toute son attitude témoigne de la vénération absolue qu'il porte à la reine. Il la traite avec le respect que l'on doit à Dieu et à ses saints, et l'insistance du texte à employer le vocabulaire de l'adoration religieuse dans un contexte profane souligne l'opposition irréconciliable qui existe entre le christianisme et la courtoisie: on ne peut servir qu'une divinité, et celle de l'amant courtois, c'est sa dame.

Le sang

Comme dans le *Tristan* de Béroul, le motif du sang revient de manière obsédante dans *Le Chevalier à la charrette*: déjà présent dans l'épisode du Pont de l'Épée qui insiste sur le corps martyrisé de Lancelot, il réapparaît dans cette séquence cruciale. Le sang qui vient tacher les draps de Guenièvre révèle aux yeux du monde la transgression dont les amants se sont rendus coupables. Sang de l'amant, et non de la femme, intacte et inaccessible comme une statue, qui constitue sur la blancheur des draps un emblème que Méléagant lira à contre-sens, il est la preuve flagrante de la culpabilité de Lancelot, et le prix qu'il a à payer pour jouir des faveurs de sa dame.

LE COMBAT JUDICIAIRE

RÉSUMÉ

Au matin Méléagant vient rendre visite à la reine: il voit les taches de sang sur les draps, et en aperçoit de semblables dans le lit du sénéchal Keu dont les plaies se sont rouvertes pendant la nuit. Il accuse aussitôt la reine d'avoir commis l'adultère avec le sénéchal. La reine, toute confuse, s'indigne contre cette supposition et affirme, de bonne foi, qu'elle a dû saigner du nez. Méléagant, bien entendu, n'en croit rien, et ironise amèrement sur les précautions qu'a prises son père pour garder la reine de ses propres entreprises. Il va chercher Baudemagu pour que celui-ci voie de ses yeux les preuves accablantes de la culpabilité de Guenièvre et de Keu. Le roi doit reconnaître que les apparences semblent parler en faveur de l'interprétation de son fils. Cependant la reine proteste de son innocence, et Keu fait de même, en se déclarant prêt à prouver son bon droit en combat singulier contre Méléagant, sans attendre que ses plaies soient guéries. Guenièvre envoie discrètement chercher Lancelot qui se présente prêt à défendre la reine et le sénéchal contre l'accusation d'adutère qui pèse sur eux. Avant que le combat ne commence, il jure sur les reliques que la reine n'a pas couché avec Keu, ce qui est parfaitement exact. Il se promet aussi de ne pas épargner Méléagant, s'il a une nouvelle fois le dessus. Mais, le second duel tourne comme le premier, et à nouveau Guenièvre cède aux instances de Baudemagu et pardonne à son fils : aussitôt Lancelot cesse de poursuivre ce dernier, qu'il tenait à sa merci. Baudemagu rappelle le combat décisif qui doit avoir lieu entre les deux à la fin de l'année.

COMMENTAIRE

Un serment ambigu

Le pauvre Méléagant est victime d'une erreur de lecture : il voit tous les signes, mais il ne sait pas les interpréter. Son accusation est juste sur le fond - la reine est en effet coupable d'adultère, mais le sénéchal est innocent : de cette manière, le complice de Guenièvre peut entrer en champ clos pour défendre son honneur sans se parjurer. Cet épisode constitue encore une citation détournée du *Tristan* de Béroul. Le serment que prononce Lancelot est conforme à la lettre des faits, mais pas à la réalité profonde des actes et des motivations. Lancelot en effet ne prétend pas que la reine n'est pas adultère, mais qu'elle n'a pas commis l'adultère avec le sénéchal. Or l'accusation de Méléagant porte très précisément sur l'identité de l'amant de la reine, et il souligne d'ailleurs qu'il s'agit de la part de Keu d'une faute particulièrement grave du fait de ses relations avec Arthur. Profitant de cette marge d'incertitude dans l'exposition du problème, Lancelot peut donc prendre les armes sans risquer que la justice divine ne s'abatte sur lui : du bon usage de la réserve mentale...

Méléagant

Le personnage de Méléagant perd sa dimension mythique dans cette séquence pour devenir proche d'une figure de fabliau : il manifeste une jalousie et une indignation démesurées, qui ne peuvent que faire sourire le lecteur conscient du quiproquo. Dans cette réaction ulcérée de soupirant éconduit qui se découvre un rival plus heureux, il cesse d'incarner les forces menaçantes d'un Autre Monde tout imprégné de surnaturel. Mais sa haine contre Lancelot s'accroît du fait de sa seconde défaite, et de l'irritation qu'il ressent à voir son ennemi intervenir une deuxième fois pour défendre la reine contre lui : ainsi, cette séquence ne constitue pas seulement une allusion intertextuelle à la matière tristanesque, elle prépare la suite des événements, et les intrigues de Méléagant contre Lancelot.

LANCELOT PRISONNIER
LE TOURNOI DE NOHAUT

RÉSUMÉ

Lancelot demande congé à la reine, car il veut aller à la rencontre de Gauvain, qui vient par le Pont sous l'Eau. En chemin, il rencontre un nain, qui, sous prétexte de lui confier des informations importantes le sépare de sa suite et l'emmène on ne sait où; les compagnons du chevalier, désemparés, poursuivent leur route jusqu'au Pont, dont on a retiré Gauvain en assez piteux état. Le neveu du roi s'informe des derniers événements, et se rend à son tour à la cour de Baudemagu, demandant en particulier que l'on fasse chercher Lancelot, qu'il soupçonne Méléagant d'avoir fait emprisonner. La reine doit manifester de la joie à voir Gauvain, alors qu'en fait elle s'inquiète de la disparition de son ami. Au bout de quelque temps arrive un messager qui apporte une lettre de la cour d'Arthur, annonçant que Lancelot est revenu sain et sauf auprès du roi, et que celui-ci attend avec impatience sa femme, son neveu et son chevalier. Rassurés, ceux-ci prennent congé de Baudemagu et ne constatent leur méprise qu'en arrivant à la cour, où l'on croit d'abord que c'est Gauvain le libérateur. Dans l'angoisse, tout le monde attend des nouvelles de Lancelot.

Pendant l'absence de la reine, les demoiselles «déconseillées» du royaume de Logres ont décidé d'organiser un tournoi pour se procurer des maris. Au retour de Guenièvre, elles obtiennent du roi l'autorisation de l'inviter à leur tournoi, organisé chez la dame de Nohaut. De sa prison chez un sénéchal de Méléagant, Lancelot entend parler du tournoi et se lamente de ne pouvoir y participer. Émue de son chagrin, la dame du manoir, en l'absence de son mari, accepte de le libérer sur parole, à condition qu'il lui promette de revenir se constituer prisonnier, et qu'il lui donne son amour. Lancelot promet sans difficultés de revenir, mais s'en tire par une formule élégante, dont n'est pas dupe son interlocutrice, en ce qui concerne l'amour. Il arrive en secret à Nohaut, vêtu d'une armure vermeille, et est reconnu par un héraut qui fait serment de protéger son incognito, mais proclame partout que celui qui remportera le tournoi («qui aunera») est venu : cette formule a été employée pour la première fois en ces circonstances.

Le lendemain, le tournoi commence; Lancelot s'y illustre jusqu'au moment où la reine, qui croit le reconnaître, lui fait demander par une demoiselle de combattre «au pire» : de cet instant, il se comporte comme le plus couard chevalier qui soit au monde, au grand chagrin du héraut qui l'a tant vanté, et il s'attire les railleries de tous. Tout le monde attend avec intérêt la deuxième journée du tournoi, et en particulier le fils du roi d'Irlande, qui est convaincu de remporter le prix. Le lendemain matin, pendant que les chevaliers se montrent les uns aux autres armures et blasons, et identifient les différents combattants, la reine envoie une nouvelle fois sa demoiselle à Lancelot, pour lui redire de combattre «au pire»: Lancelot, comme la veille, s'exécute sans la moindre protestation. La reine, ravie de cette obéissance, lui fait alors mander d'avoir à combattre «au mieux». C'est ce que fait Lancelot, et il est le vainqueur incontesté du tournoi: tous les autres fuient devant lui, et chaque demoiselle rêve de l'avoir pour mari; mais la reine s'en amuse, car elle sait bien qu'il ne voudrait en épouser aucune pour tout l'or du monde. À la fin du tournoi, Lancelot abandonne derrière lui ses armes et s'esquive sans que personne ne puisse le suivre. Les demoiselles désolées renoncent à se marier, puisqu'elles ne peuvent avoir celui qu'elles désirent.

Pendant ce temps, le sénéchal est revenu auprès de sa femme, et il apprend avec horreur qu'elle a laissé sortir le prisonnier: il craint le châtiment de Méléagant, auquel il se hâte d'aller avouer sa faute. Méléagant est fort courroucé d'apprendre que Lancelot a pu participer au tournoi, mais il est sûr que son ennemi tiendra sa promesse et reviendra chez le sénéchal: il signifie à celui-ci d'avoir à trouver un moyen plus radical de retirer le héros de la circulation. En effet, Lancelot revient, et le sénéchal fait construire une tour sans issue dans laquelle le chevalier est emmuré: on ne le nourrit que parcimonieusement par un tout petit guichet.

COMMENTAIRE

Péripéties

Manifestement, l'auteur se désintéresse de son récit; après la nuit qu'ont passée ensemble Lancelot et la reine, le reste ne présente guère d'intérêt. Il est cependant nécessaire de tenir la promesse faite à deux reprises, c'est-à-dire de liquider le contentieux entre Lancelot et Méléagant, et de ramener les personnages égarés dans l'espace du mythe dans un univers plus réel. Il ne saurait être question de finir sans autre forme de procès le roman par un récit rapide du dernier duel. Entre-temps, un épisode comme celui du tournoi montre la persistance de l'amour dans le cœur de Lancelot, et les intrigues de Méléagant font passer le temps, au sens propre de l'expression.

La mise en œuvre du code courtois

La «fin'amor» constitue l'élément central du code courtois, mais il n'en est pas le seul aspect. La courtoisie intervient à tous les degrés de la vie chevaleresque, et il est utile de montrer jusqu'où peut aller la soumission du chevalier aux exigences de ce code : Lancelot, en obtenant de la femme du sénéchal chez qui il est prisonnier le droit de sortir incognito pour participer au tournoi de Nohaut, inaugure toute une série d'épisodes analogues dans les romans ultérieurs. La fidélité à la parole donnée est l'une des caractéristiques les plus constantes du chevalier errant. De même, le tournoi de Nohaut lui-même, organisé par des orphelines désireuses de se trouver un mari, constitue le prototype de bien d'autres tournois analogues, en général donnés en faveur d'une demoiselle qui en est le prix. Épisodes banals, qui respectent les conventions d'un genre – dans une large mesure, compte-tenu de la chronologie, ils les fondent, mais ne sont guère autre chose que du remplissage.

Le raffinement de l'amour

Dans une certaine mesure, Lancelot peut n'être pas considéré jusqu'alors tout à fait comme un amant parfait : le reproche de la reine, tout artificiel qu'il soit, révèle un défaut en lui. Il hésite un instant avant de sacrifier son sentiment de l'honneur à l'amour qu'il éprouve pour sa dame. Le tournoi de Nohaut, au nom significatif (en ancien français, il se confond avec l'expression employée à deux reprises par la reine : «au noauz», c'est-à-dire «au pire»), permet de montrer que Lancelot a surmonté cette ultime résistance. Son amour, loin d'être diminué par la satisfaction obtenue, s'est épuré jusqu'à la soumission totale. Guenièvre ne s'intéresse pas seulement à la prestation chevaleresque de son ami : elle veut avant tout savoir comment il accueille ses injonctions, et la demoiselle souligne tout ce que l'obéissance imperturbable de Lancelot a d'exceptionnel. Les textes ultérieurs introduiront un raffinement supplémentaire dans cette épreuve qualifiante : Lancelot devra combattre «au pire» à visage découvert, et «au mieux» dissimulé sous un heaume masquant son identité.

LA SŒUR DE MÉLÉAGANT

RÉSUMÉ

Sûr de ne courir aucun risque, Méléagant vient parader à la cour d'Arthur et réclamer sa bataille contre Lancelot. Gauvain réclame et obtient le droit de combattre à la place de celui-ci, si on ne le retrouve pas avant la fin du délai d'un an. Méléagant revient chez son père, à la cour duquel se trouve sa propre sœur (nouvelle venue dans le récit, à propos de laquelle le narrateur se lance dans une digression quelque peu embarrassée) et s'enorgueillit d'avoir fait trembler Arthur et ses chevaliers. Une fois de plus, Baudemagu lui fait de vives remontrances, que le jeune chevalier prend très mal, et souhaite que l'absence de Lancelot ne soit pas due à quelque cruelle mésaventure. La sœur de Méléagant qui a entendu ces nouvelles décide de partir en quête de Lancelot et de le chercher jusqu'à la fin de l'année. Montée sur sa mule, elle erre pendant longtemps dans des contrées inhospitalières, sans apprendre aucune nouvelle de l'objet de sa quête; mais un jour, fort déprimée, elle arrive auprès d'une tour bâtie au bord de la mer dans un endroit très isolé. Elle devine que c'est là que se trouve Lancelot; avant qu'elle n'ose appeler, elle entend une voix qui se lamente à l'intérieur de la tour: Lancelot incrimine la fortune et sa roue, qui l'a précipité du plus grand bonheur dans le plus grand malheur, et reproche à Gauvain de ne pas avoir cherché à le libérer. La demoiselle réussit à attirer l'attention du prisonnier, et lui révèle qu'il lui a autrefois rendu service, au Pont de l'Épée, en tranchant la tête d'un chevalier qu'elle détestait: c'est pour cette raison qu'elle va lui venir en aide. Elle se procure des outils, et Lancelot parvient à sortir de sa tour. Il passe le reste du délai imparti avant sa rencontre avec Méléagant dans un manoir qu'elle possède non loin de là, où il reprend des forces. Le traître fils de Baudemagu, sans y être convoqué, se présente à la cour d'Arthur, et, à défaut de Lancelot, exige de Gauvain qu'il lui donne sa bataille. Gauvain est en train de s'armer quand arrive Lancelot. Méléagant déplore la «trahison» qui a permis à son ennemi de s'échapper, mais ne refuse pas le combat. En peu de temps, Lancelot courroucé tient Méléagant à merci, et cette fois il lui coupe la tête sans autre forme de procès. Gautier de Loignies fait savoir au public que c'est lui qui a achevé le travail de Chrétien, depuis l'épisode de l'emprisonnement de Lancelot.

COMMENTAIRE

Cette fin manque singulièrement d'intérêt et de conviction : il faut mettre fin au conflit entre Méléagant et Lancelot, mais on a l'impression que l'auteur tire à la ligne avec les péripéties de l'emprisonnement, des provocations du traître, du combat final, exécuté d'ailleurs en quelques vers avec une désinvolture surprenante quand on pense qu'il s'agit normalement du «clou» du roman, dont on parle depuis des pages... L'intervention de la sœur de Méléagant est particulièrement mal venue, même si les textes médiévaux ne respectent pas avec autant de conviction que les textes classiques la règle selon laquelle on n'introduit pas de nouveau personnage *in extremis* dans un récit. La scène de reconnaissance ébauchée au moment où Lancelot sort de la tour tourne court, parce que cette tentative de doter la demoiselle d'un passé dans l'espace du roman est trop manifestement artificielle. Au total, l'aveu de Gautier de Loignies, révélant que cette fin décevante n'est pas de la plume de Chrétien de Troyes, ne peut que soulager le lecteur. Reste à trouver la raison pour laquelle Chrétien a abandonné son œuvre : était-il trop occupé par *Le Chevalier au lion* ? Ou en avait-il assez d'un sujet imposé par sa commanditrice, avec lequel il ne se sentait guère d'affinités ? On peut aussi considérer qu'il a fait l'essentiel, et, comme le chef d'un atelier de peinture, a abandonné les basses œuvres à un apprenti : les démêlés guerriers de Lancelot et de Méléagant n'ont pas d'importance; ce qui compte, c'est le traitement de la thématique courtoise, et la mise en scène d'un nouveau couple de «fin'amants», à la fois semblables à et différents de Tristan et Yseut, qui vont connaître une carrière littéraire exceptionnelle par la suite, au point de supplanter leurs modèles.

Le Chevalier au lion

Sommaire du *Chevalier au lion*

Lors d'une fête de Pentecôte, Calogrenant, un chevalier de la Table Ronde, raconte l'aventure peu glorieuse qui lui est arrivée quelques années plus tôt : parvenu après diverses rencontres à une fontaine merveilleuse, il a déclenché une terrible tempête en renversant un peu d'eau sur la margelle, et un chevalier armé est venu lui demander raison de cet outrage injustifié. Calogrenant s'est fait battre piteusement à la joute. Alors que Keu, selon son habitude, raille le malheureux conteur, et qu'Arthur fait part à son entourage de son intention d'aller d'ici très peu de temps voir la merveille de la fontaine, Yvain, cousin de Calogrenant, décide de tenter seul l'aventure pour sauver l'honneur familial. Il repasse sans peine sur les traces de son prédécesseur, mais met en fuite le chevalier de la fontaine.

Celui-ci, frappé à mort, se réfugie dans son château, et Yvain est fait prisonnier par deux portes coulissantes. Alors que tous les habitants du château cherchent fiévreusement le meurtrier de leur seigneur, Yvain est secouru par une demoiselle qu'il a autrefois bien accueillie à la cour d'Arthur, qui le pourvoit d'un anneau d'invisibilité. Ainsi, Yvain peut assister aux funérailles de son ennemi, et s'éprend à première vue de sa veuve. La demoiselle suivante s'en aperçoit bien, et grâce à son habile rhétorique réussit à convaincre la dame qu'elle ne peut faire mieux que de prendre pour nouveau seigneur le vainqueur du défunt, soit Yvain. Celui-ci, à sa grande joie, épouse donc la dame, et c'est lui qui vient défendre la fontaine contre Keu, lorsque la cour d'Arthur, conformément à ce qui était prévu, vient voir la merveille. Tous les chevaliers sont ravis de ce coup de théâtre ; cependant, Gauvain, après quelques semaines fort agréables en compagnie de Lunete, la demoiselle suivante, réussit à convaincre Yvain de ne pas rester auprès de sa femme comme un chevalier « récréant ». Par un subterfuge, Yvain obtient l'autorisation de s'absenter pendant un an pour aller courir les tournois : mais gare à lui s'il ne revient pas avant le délai fixé !

Hélas! Pris aux charmes de la vie chevaleresque, Yvain laisse passer la date fatidique : la dame courroucée envoie à la cour une messagère qui reprend au malheureux chevalier l'anneau que son épouse lui avait donné, et lui fait savoir qu'il a perdu à jamais son amour. Sous le choc, Yvain devient fou, et vit pendant un certain temps comme une bête dans la forêt, aidé par un vieil ermite craintif. Reconnu un jour par une demoiselle, il est guéri par un onguent magique et, revenu à la raison, peut venir en aide à sa bienfaitrice que menace un prétendant abusif. Il repousse poliment les offres de la dame et part à l'aventure, pensant à son épouse perdue; il sauve un lion attaqué par un «serpent», et le lion reconnaissant devient son plus fidèle compagnon. Revenu à la fontaine merveilleuse, Yvain est sur le point de se laisser aller à la tentation du suicide quand il entend la voix d'une demoiselle emprisonnée dans une chapelle : il s'agit de Lunete, la suivante de sa dame, qui va être brûlée le lendemain pour avoir «mal conseillé» sa maîtresse. Yvain promet de lui venir en aide.

Entre-temps, il intervient pour libérer la nièce et les neveux de Gauvain (qui est au royaume de Gorre, à la recherche de la reine enlevée) que menace le géant Harpin de la Montagne, puis sauve en effet Lunete avec l'aide de son lion. Il est amené à prendre le parti – légitime – de la cadette de Noire Épine dans une sombre histoire d'héritage, et affronte Gauvain, champion de l'aînée, après avoir libéré les pucelles tisserandes que retenaient prisonnières des créatures diaboliques, mi-homme, mi-diable, dont il triomphe avec son lion (c'est l'épisode de Pesme Aventure). Le duel avec Gauvain se solde par un match nul, que couronne une émouvante scène de reconnaissance. Ayant ainsi fait la preuve de sa valeur chevaleresque et de son perfectionnement moral, il peut revenir à la fontaine où, grâce à une ruse subtile de Lunete, il parvient à se réconcilier avec sa dame.

Résumés et commentaires

OUVERTURE

RÉSUMÉ

Arthur tenait un jour de Pentecôte sa cour. Chevaliers et dames parlaient de choses et d'autres, surtout d'amour, ce qui est le sujet le plus intéressant – ou du moins, cela l'était en ce temps-là, quand les gens étaient sincères ; mais désormais l'hypocrisie règne partout. Pour cette raison, il vaut mieux revenir au passé : « mieux vaut un courtois mort qu'un vilain vivant ». À l'occasion de cette Pentecôte, le roi Arthur porta couronne selon sa coutume, puis se retira dans sa chambre avec la reine, laissant les chevaliers se distraire comme ils pouvaient. En particulier, Calogrenant a commencé, à l'usage d'un petit groupe d'auditeurs choisis parmi lesquels figurait Yvain, un « conte » relatant une aventure déshonorante pour lui. La reine se joignit à eux au bout de quelques instants, et la courtoisie de Calogrenant à son égard suscita les railleries de Keu, mauvaise langue comme toujours. Malgré ses réticences, Calogrenant fut invité à continuer son récit, ce qu'il fit après un exorde inspiré des meilleurs rhétoriqueurs sur la valeur du « conte » et l'attitude que doit avoir le public.

L'aventure, qui a eu lieu « il y a plus de sept ans », est la suivante : un jour que Calogrenant chevauchait en quête d'aventures dans la forêt de Brocéliande, il fut accueilli avec la plus grande courtoisie par un vavasseur et sa très belle fille. Après une soirée charmante en compagnie de la pucelle, Calogrenant prit congé de son hôte en promettant de repasser par son manoir. Tout près de là, il rencontra un troupeau de taureaux sauvages, d'ours et de léopards, qui menaient grand bruit ; alors qu'il se préparait à s'esquiver discrètement, car ces bêtes sont dangereuses, il vit un « grand vilain », hideux et très impressionnant, qui lui apprit qu'il était le gardien de ces animaux. En échange, et après un dialogue qui soulignait l'aspect énigmatique du vilain, Calogrenant lui demanda s'il avait entendu parler d'une aventure intéressante dans le secteur. Tout en répondant par la négative, le vilain indiqua en fait à Calogrenant une aventure de ce type : qu'il aille à peu de distance de là, à une très belle fontaine qui bout tout en étant glacée, et qui est ombragée par un grand arbre. Qu'il verse un peu de l'eau de cette fontaine sur le perron de marbre qui l'entoure, à l'aide d'un bassin d'or prévu à cet effet. Il déclenchera alors une terrible tempête, et il aura de la chance s'il s'en tire sans dommage.

Alléché évidemment par ce récit, Calogrenant suivit les conseils du vilain. Tout se passa comme prévu, sauf que la tempête avait vraiment des proportions alarmantes. Une fois l'orage calmé, une multitude d'oiseaux vinrent se poser sur le pin de la fontaine, et firent entendre des chants si harmonieux que Calogrenant resta en extase, sans penser à s'éloigner. Alors survint un chevalier armé, qui lui reprocha d'avoir attaqué sans motif sa fontaine, et le renversa à la joute. « Pensif » et honteux, Calogrenant, sans oser suivre son adversaire, se débarrassa de ses armes et revint chez son hôte, qui l'accueillit aussi bien que la veille en dépit de sa mésaventure. Ainsi s'achève le récit de Calogrenant.

Yvain, qui est son cousin germain, lui reproche de ne pas lui avoir raconté cela plus tôt : il est très désireux de venger sa honte. Keu se moque méchamment de lui et met en doute sa vaillance. Le roi se réveille alors et la reine lui relate «tout mot à mot» l'aventure de la fontaine. Arthur jure alors qu'il ira avec tous ceux qui le désireront voir la merveille d'ici à quinze jours. Yvain se désole de cette nouvelle, car il sait bien que si Keu demande la bataille, il l'aura de préférence à lui, et sinon Keu, Gauvain. Il décide donc de partir en cachette de la cour et de se rendre en Brocéliande, dans les trois jours, afin de voir tous les éléments de l'aventure.

COMMENTAIRE

Un début original

Contrairement à ce qui se passe d'habitude dans les romans de Chrétien de Troyes, il n'y a pas à proprement parler de prologue : le lecteur est précipité d'emblée *in medias res*, c'est-à-dire à la cour d'Arthur, point de départ canonique de tout bon roman breton. Après les quelques vers de présentation initiale, il y a bien une sorte de digression sur le thème de la *laudatio temporis acti*, mais aucune réflexion sur l'art littéraire, aucune information de Chrétien sur lui-même ou sur son œuvre. Et on revient tout de suite au récit proprement dit, c'est-à-dire à la description, d'ailleurs assez atypique, de la cour d'Arthur un jour de Pentecôte quelconque.

En fait, le prologue est fourni par les personnages de la fiction eux-mêmes : il s'agit d'un prologue au second degré, en quelque sorte. Au lieu que Chrétien assume directement la responsabilité du conte qui va suivre, c'est Calogrenant, personnage peu connu, et d'ailleurs chevalier, qui va se charger de raconter l'aventure qui va déclencher le roman, qui va lui permettre d'accéder à l'existence. (De ce point de vue, il n'est pas indifférent que la scène soit située le jour de la Pentecôte, c'est-à-dire le jour où les apôtres ont reçu précisément le don des langues, la capacité de parler, et de bien parler, comme le suggère Calogrenant dans son discours inaugural). Mais Calogrenant est un chevalier, pas un conteur : son récit est donc maladroit, comme le montre la séquence dilatoire de l'arrivée de la reine et des railleries de Keu. Ce récit est maladroit en ce qu'il raconte un échec, ce que ne saurait faire un bon roman. Toute la suite de l'œuvre, ou du moins tout le «premier vers», constitue un effort pour corriger cette «mauvaise copie», pour réécrire l'histoire comme il convient.

Le vilain gardien de bêtes

Il s'agit d'un motif mythique à peine adapté au goût du jour : le gardien de bêtes, qui présente souvent tous les traits de l'« homme sauvage » – et accessoirement Merlin, le prophète qui connaît le passé et l'avenir, est parfois présenté sous les traits d'un homme sauvage ; d'ailleurs, un roman en prose tardif, le *Livre d'Artus*, révèle au lecteur ébahi que le « vilain » rencontré dans *Yvain* n'est autre que Merlin – est, quoiqu'il en dise, en marge de l'humanité : par son intermédiaire, c'est le monde inarticulé du mythe qui défie le simple chevalier et lui offre une voie d'accès vers ce que tout jeune homme en quête d'aventure convoite en fait : la conquête d'une femme et d'une terre. De par son rapport à la nature et aux animaux, le « vilain » est en effet une figure liée à la fécondité.

Un parcours initiatique

Bien que pour le lecteur moderne l'intérêt de l'aventure soit centré sur la merveille de la fontaine et la rencontre avec le chevalier qui la défend, les éléments antérieurs du récit de Calogrenant sont présentés comme indissociablement liés à cette scène essentielle. En particulier, on insiste beaucoup sur le vavasseur et sa fille, alors que leur rôle est apparemment très réduit. Mais il est au moins tacitement admis qu'ils sont au courant de l'existence de l'aventure, et qu'ils servent en quelque sorte, comme le « vilain », de marqueurs sur le chemin qui conduit à l'épreuve. Peut-être, dans un état primitif de la légende, la jeune fille était-elle la récompense du chevalier qui l'emportait sur le défenseur de la fontaine : peut-être, en d'autres termes, est-elle le double de Laudine, ou une figure également dédoublée de Lunete.

Le temps de l'aventure

L'intervention du roi Arthur place le récit de Calogrenant dans la sphère du réel : il ne s'agit plus seulement d'un « conte » qu'un jongleur raconte pour passer le temps, mais d'une aventure destinée à l'un des chevaliers de la cour arthurienne, une de ces épreuves qualificatrices qui constitue la raison d'être de la Table Ronde, et sa justification. En faisant savoir que lui-même se rendra sur les lieux avec tous ceux qui veulent l'accompagner, Arthur impose un *terminus ante quem* : l'aventure individuelle, la seule qui puisse être représentée dans un roman, doit être achevée avant cette date ; en fait, la présence de la cour servira alors à entériner la victoire d'un chevalier précis : cela explique la décision d'Yvain de se rendre incognito en Brocéliande pour y tenter sa chance avant les autres.

Le fait qu'Yvain soit convaincu que le sénéchal Keu obtiendra la bataille avant tout le monde s'il la demande constitue sans doute un écho de la scène initiale du *Chevalier à la charrette*, au cours de laquelle Keu demande en effet, et obtient, avec les résultats désastreux que l'on sait, la bataille contre le chevalier provocateur qui veut enlever la reine. De même la référence à Gauvain comme «brillant second», en quelque sorte, rappelle également cet autre roman de Chrétien de Troyes où Gauvain joue précisément le même rôle.

YVAIN À LA FONTAINE

RÉSUMÉ

Pas à pas Yvain retrace le parcours de son cousin : le conte ne s'attarde pas sur les différentes séquences de l'aventure, si ce n'est pour signaler l'étonnement du chevalier devant la laideur du «vilain» qui garde les bêtes. Le chevalier de la fontaine se manifeste comme prévu, et il s'ensuit une bataille acharnée : les deux combattants sont si courtois qu'ils ne blessent pas leurs chevaux, mais la bataille a lieu entièrement à cheval, car aucun d'entre eux n'a été désarçonné à la joute. Finalement le chevalier de la fontaine reçoit un tel coup de la part d'Yvain qu'il se sait blessé à mort et s'enfuit au grand galop vers son château, suivi par Yvain qui sait bien qu'il n'a pas encore rempli sa promesse vis-à-vis de Calogrenant et qu'il n'a aucune preuve de sa prouesse : il redoute donc l'incrédulité et les railleries de Keu.

Les deux chevaliers traversent une ville apparemment dépourvue d'habitants et parviennent au château : le chevalier de la fontaine, qui connaît les aîtres, y pénètre sans problème, mais le cheval d'Yvain marche sur le levier qui commande une sorte de herse coulissante, laquelle s'abat à grand fracas sur son cheval et le tranche en deux : heureusement Yvain lui-même s'est penché en avant pour tenter de saisir son ennemi et il n'est pas blessé, sauf que ses éperons lui sont coupés au ras des talons. Une autre porte ferme la salle en amont, et Yvain se trouve prisonnier.

Au bout de quelque temps, une petite porte s'ouvre et une demoiselle vient annoncer à Yvain qu'il est dans une situation très périlleuse, car le seigneur du château est mort et toute sa maisnie mène grand deuil, à commencer par sa veuve. Bientôt, ils vont venir faire justice du meurtrier. Yvain se déclare prêt à vendre chèrement sa peau, et la demoiselle lui dit qu'elle est prête à l'aider : elle le reconnaît bien, en effet, et se souvient qu'il lui a rendu autrefois un grand service. Un jour qu'elle s'était rendue à la cour d'Arthur comme messagère de sa dame, alors que personne ne lui adressait la parole ni ne faisait attention à elle, Yvain seul a fait preuve à son égard de la plus grande courtoisie : elle va le récompenser (« guerredoner ») en sauvant sa vie. Pour ce faire, elle lui donne un anneau doté de propriétés magiques (en précisant bien qu'elle désire le récupérer lorsque le chevalier n'en aura plus besoin) : celui qui le porte est invisible. Puis elle fait assoir Yvain sur un lit confortable et lui apporte à manger. Pendant ce temps toute la maisnie du chevalier mort cherche partout le meurtrier : la demoiselle intime à Yvain l'ordre de ne pas bouger de ce lit, même s'il voit la salle toute remplie de chevaliers et de sergents à sa recherche ; il n'a rien à craindre. Elle se retire discrètement, comme elle était venue, et en effet, la salle est bientôt remplie de gens qui cherchent le meurtrier de leur seigneur tout en se lamentant : ils découvrent les deux moitiés du cheval d'Yvain, et en déduisent fort logiquement que son propriétaire ne peut être loin : comme ils ne parviennent pas à le trouver, ils en concluent qu'ils sont enchantés, ou, mieux encore, que c'est un « maufés », c'est-à-dire un diable, qui est responsable de leur malheur. Yvain ne bouge pas.

Répétition et progression

Il va de soi que le récit ne peut se permettre le luxe de décrire une seconde fois en détail les différentes étapes de l'aventure : après un résumé rapide du voyage d'Yvain, on reprend donc le cours des événements au moment où il se passe quelque chose de nouveau, c'est-à-dire au moment du combat entre Yvain et le défenseur de la fontaine. Mais le résultat de ce choix narratif est que la « merveille » n'est jamais décrite en détail que par Calogrenant, chevalier « failli » qui n'a pas été à même de mener l'aventure à son terme. Il apparaît donc, rétrospectivement, comme une figure de conteur redoublant à l'intérieur de la fiction la voix du narrateur, et non comme un héros au sens classique du terme.

L'irruption du surnaturel

Évidemment, l'ensemble de l'aventure est imprégné de connotations magiques : la fontaine merveilleuse, la tempête qui relève d'un phénomène de magie sympathique, les oiseaux qui chantent, tout cela reproduit fidèlement une mise en scène de type féerique ; traditionnellement cependant, dans un *locus amoenus* typique comme l'est la fontaine, on rencontre non pas un chevalier armé, mais une fée au bain, qui fait peser sur l'imprudent une *geis* autrement dangereuse qu'un simple combat chevaleresque. Mais la fontaine du *Chevalier au lion* a subi une évolution qui lui permet de s'intégrer à un système courtois et chevaleresque, en perdant un peu sa dimension surnaturelle.

Le fait que la demoiselle se définisse comme une messagère au service de la dame du château, sans mentionner le chevalier de la fontaine, suggère la nature féerique de cette aventure, structurée selon un principe de pouvoir matrilinéaire. La figure importante dans l'histoire, c'est la fée liée à la fontaine magique, et le chevalier qui la défend peut être n'importe quel champion, que l'on peut, et que l'on doit remplacer, dès que les hasards de son métier l'ont amené à la mort.

L'origine surnaturelle de l'aventure est encore perceptible dans la persistance d'une logique autre, qui peut apparaître a priori comme une incohérence narrative : ainsi, au lieu de faire sortir Yvain de la salle où il est en grand danger, la demoiselle qui circule apparemment à son gré dans le château se borne à lui donner un anneau magique qui le rend invisible. À noter que cet anneau constitue le pendant de celui de Lancelot dans *Le Chevalier à la charrette* : l'un permet de détecter les enchantements, l'autre opère précisément un enchantement, c'est-à-dire qu'il met en déroute le témoignage des sens humains. D'ailleurs, les gens du château, qui ont trouvé de part et d'autre de la porte les deux moitiés du cheval d'Yvain sont bien conscients d'être les victimes d'un enchantement. Mais ils n'ont aucun moyen de lutter contre cette illusion : on peut reconnaître la présence de la magie, on ne peut pas lutter contre elle.

LA DAME DE LA FONTAINE

RÉSUMÉ

Après la maisnie du château, arrive dans la salle la procession qui va enterrer le seigneur défunt, et derrière la bière vient la veuve, plus belle que toutes les autres femmes du monde, qui déplore la mort de son « bon » seigneur qui défendait si bien sa fontaine. Yvain est frappé de sa beauté, et en tombe amoureux sur-le-champ. Pendant ce temps, la blessure du mort recommence à saigner, ce qui prouve que le meurtrier est présent : tout le monde se remet à le chercher avec une ardeur renouvelée, mais en vain, cependant que la veuve se dit « enfantômée », et accuse le meurtrier de son seigneur de l'avoir tué en trahison, du fait de son invisibilité : ce ne peut être qu'un diable, et lâche par surcroît. Finalement, lassés, les gens du château sortent pour aller enterrer le mort, et la demoiselle à l'anneau revient trouver Yvain, qui lui demande comme une faveur de pouvoir regarder la procession et l'enterrement : non qu'il s'en soucie, mais il veut revoir la dame. La demoiselle l'installe à une fenêtre, lui recommande encore de ne rien entreprendre de sa propre initiative, lui promet de servir ses intérêts, et va rejoindre les autres de peur que son absence ne soit remarquée. Le chevalier mort est enterré, pour la plus grande tristesse d'Yvain qui se dit qu'il n'aura décidément aucune preuve tangible de son triomphe à montrer à Keu.

Mais cette préoccupation est secondaire chez lui, car il s'intéresse surtout à la dame, restée seule sur la tombe de son seigneur, qui pleure et lit ses psaumes. Sans qu'elle le sache, Amour lui a permis de prendre une vengeance éclatante sur celui qui a tué son mari : Yvain en effet est à sa merci, et il éprouve à la fois la douceur et l'amertume de l'amour. Il débat avec lui-même de ses chances auprès de la dame : certes, elle est absolument désespérée pour l'instant, mais les femmes sont changeantes, et il n'est pas impossible que par la suite elle se laisse consoler. Consoler sans doute, mais pas par le meurtrier de son seigneur : il est l'homme du monde qu'elle doit le plus haïr, et lui aime sa pire ennemie. En revanche, il n'est pas son ennemi, et se désole de la voir abîmer sa grande beauté, en se lacérant les joues et en s'arrachant les cheveux, du fait de son chagrin.

La demoiselle vient rechercher Yvain et lui promet de le faire sortir du château d'ici peu de temps. Yvain, que retiennent Amour et Honte (s'il s'en va ainsi, nul ne croira qu'il a accompli une telle prouesse), lui dit qu'il n'est pas pressé, et qu'il a vu un spectacle qui lui a beaucoup plu. Tout en se moquant de lui, la demoiselle, fine et subtile, comprend à quoi tend ce discours. Après avoir installé Yvain dans sa propre chambre, elle va trouver sa dame, avec qui elle est dans les meilleurs termes, car elle est aussi sa gouvernante. D'ailleurs, elle n'a aucune raison d'hésiter à lui donner de bons conseils. La première fois qu'elle s'adresse à elle, c'est juste pour lui reprocher son deuil excessif : ce n'est pas cela qui ramènera le mort. Quant à mourir avec lui, ce que prétend désirer la dame, c'est une idée ridicule. Il vaut bien mieux qu'elle se préoccupe de trouver un nouveau seigneur, et vite, car le roi Arthur va venir d'ici quinze jours, et il prendra possession de la terre si la fontaine n'est pas défendue. La dame affirme qu'il n'y a pas au monde de chevalier qui vaille celui qu'elle a perdu. La demoiselle se fait forte de lui en trouver un meilleur. Bien que la dame se rende compte que sa suivante lui donne d'excellents conseils, elle se courrouce contre elle et lui interdit d'aborder encore le sujet.

Cependant, dès que la demoiselle s'est retirée, la dame se repent de sa brusquerie, et s'avoue qu'elle aurait en effet grand besoin de retrouver un chevalier meilleur que le précédent. Lorsque la demoiselle revient pour la servir, c'est elle-même qui aborde le sujet, et se déclare prête à reconnaître ses torts, si sa suivante peut lui nommer un seul chevalier meilleur que le défunt. Après avoir extorqué de sa dame la promesse qu'elle ne se fâchera pas, quoi qu'elle lui dise, la demoiselle lui prouve par un habile syllogisme que le vainqueur d'un combat est meilleur que le vaincu : par conséquent, le chevalier qui a tué le seigneur de la fontaine lui est supérieur. En dépit de sa promesse, la dame s'indigne, et la demoiselle s'en va une nouvelle fois, en affirmant qu'elle ne s'en mêlera plus. Restée seule, la dame ne tarde pas à changer d'avis, et argumente elle-même, dans un faux dialogue, avec le meurtrier : a-t-il tué son seigneur pour lui faire du mal, à elle ? Non certes, car il ne la connaît pas. D'ailleurs, il a eu bien raison de se défendre, car s'il ne l'avait pas fait, c'est le chevalier de la fontaine qui l'aurait tué. Il est donc innocent. Et ainsi elle s'enflamme pour le chevalier qu'elle n'a jamais vu.

Au matin, la dame s'humilie devant sa suivante, et reconnaît qu'elle a eu tort de s'emporter. Si le chevalier qui a vaincu son mari est de bon lignage, elle se déclare prête à l'épouser pour défendre sa fontaine. En apprenant qu'il s'agit d'Yvain, le fils du roi Urien, elle est transportée de joie, et demande à la demoiselle de le faire venir au plus vite. Le demoiselle prétend qu'il est reparti pour la cour d'Arthur, et qu'il ne pourra être là avant cinq jours. C'est trop long, dit la dame très impatiente; qu'il vienne dans les quarante-huit heures, en chevauchant toute la nuit au clair de lune : elle saura bien le récompenser. La demoiselle feint d'envoyer un messager, et pendant ce temps elle n'épargne pas sa peine pour présenter Yvain sous les traits les plus avantageux. Finalement elle vient trouver sa dame et lui annonce que le chevalier est là; elle conseille à sa dame de rassembler ses barons et de leur demander conseil : le roi Arthur va arriver, il faut un défenseur pour la fontaine, il lui faut donc se remarier. Comme tous sont lâches, il n'y en aura pas un pour entreprendre cette tâche, et ils seront trop heureux de la donner en mariage à qui lui plaira. À Yvain, cependant, elle fait croire que sa dame a appris qu'elle l'avait aidé et est fort courroucée : néanmoins, qu'il se livre à merci, et qu'il se remette en sa «prison» : la dame se montrera généreuse. Elle joue en fait sur les mots, parlant de prison réelle alors que ce qui est en cause c'est la prison amoureuse où le cœur du chevalier reste tout entier en la possession de celle qu'il aime.

COMMENTAIRE

Préciosité et rhétorique courtoise

En huit cents vers environ, la situation subit des modifications considérables : du roman d'aventures on passe au roman d'amour, et la dame de la fontaine, qui apparaît pour la première fois au vers 1146 sous les traits d'une veuve éplorée, est très impatiente quelques pages plus loin d'épouser le meurtrier de son mari, pourvu qu'elle puisse le faire par un artifice légal préservant sa réputation. L'intérêt du passage est de montrer l'alliage fragile entre une conception utilitariste, en quelque sorte, de la structure sociale reposant sur la chevalerie, et une conception courtoise, où l'amour l'emporte sur les autres considérations.

C'est ainsi que, dans le cœur d'Yvain, le souci purement pragmatique de rapporter à la cour d'Arthur une preuve tangible de sa victoire (rappelons-nous Tristan coupant la langue du dragon d'Irlande pour prouver sa victoire) fait place à l'amour qu'il ressent pour la veuve de sa victime : c'est précisément la vue de sa beauté menacée, et des manifestations extravagantes de son chagrin, qui éveillent l'amour dans le cœur du chevalier, selon une procédure classique d'énamoration au Moyen Âge. L'art de Chrétien de Troyes consiste à introduire ironiquement cette nouvelle tonalité dans son œuvre, en faisant ressortir le contraste entre la situation objective du héros et ses préoccupations sentimentales. Au milieu du récit de la recherche du meurtrier par tous les gens du château brûlant d'un désir de vengeance, il insère des considérations raffinées et presque précieuses sur la nature et les effets de l'amour, et par-dessus le marché un monologue intérieur d'Yvain, dans lequel celui-ci débat de la possibilité qu'un jour la dame daigne l'aimer. Ce débat artificiel, qui a pour pendant le «jugement» au cours duquel la dame feint de convoquer le meurtrier de son mari et de l'absoudre selon toutes les règles du système chevaleresque, fait appel aux ressources les plus subtiles de la rhétorique, mais le narrateur prend soin de garder toujours une certaine distance gentiment ironique vis-à-vis de son récit.

« La donn'è mobile »

Il faut noter que derrière le masque de la courtoisie, selon lequel le chevalier est en tout soumis au bon plaisir de sa dame, transparaît une conception misogyne du monde, puisque l'argument-clé qui empêche Yvain de se désespérer est que le cœur de la femme est «muable» et changeant, et que bien souvent elles haïssent un jour ce qu'elle adoreront le lendemain. De fait, ce présupposé anti-courtois se vérifie, puisque la dame, habilement conseillée par sa suivante, subit elle aussi un processus classique d'énamoration – elle s'éprend à distance de quelqu'un qu'elle n'a jamais vu, simplement en raison de sa valeur et dans un second temps, de sa renommée. L'empressement de la dame à accepter des conseils qu'elle rejette d'abord avec indignation, ses hésitations plus ou moins hypocrites sont décrites avec finesse et humour, mais plus sévèrement que les mêmes étapes chez Yvain. En fait, derrière la dame courtoise réapparaît la figure menaçante de la fée toute-puissante, qui règne en maîtresse absolue sur son domaine et «consomme» à son gré les chevaliers qui ont le malheur de tomber entre ses mains : mère castratrice et dominatrice, image d'une féminité redoutable et redoutée que le système courtois a bien du mal à tenir en lisière.

Le rôle de la demoiselle suivante

Le personnage le plus intéressant dans cette séquence est peut-être celui de la demoiselle à qui Yvain doit son salut : son intervention ne se justifie que par une raison extrêmement fragile (la «courtoisie» du chevalier à son égard lors d'un visite passée à la cour d'Arthur), et elle met au service du héros d'évidentes dispositions surnaturelles. D'après les textes ultérieurs, aussi bien que les informations que l'on peut retirer des contes et légendes celtiques connus par ailleurs, la suivante occupait à l'origine le rôle central de la fée, dont elle a été délogée par le processus d'évhémérisation qui a préféré mettre en valeur une figure de dame courtoise, sans lien avec la « nigremance ». Cependant, la jeune fille conserve une fonction importante, puisque c'est grâce à elle et à son anneau magique qu'Yvain est sauvé dans un premier temps, et que c'est elle aussi qui organise le mariage du chevalier avec la dame : mariage tout à fait conforme à la logique du récit féerique : la fée de la fontaine a en effet besoin d'un défenseur, et il est normal que le vainqueur prenne la place du vaincu, de bon ou de mauvais gré : dans certains cas, il s'agit plutôt d'un châtiment que d'une promotion, et le chevalier, qui n'a pas les mêmes raisons qu'Yvain de vouloir demeurer auprès de la fontaine ou du gué qu'il a conquis, aspire à sa délivrance, même si celle-ci ne peut se produire que grâce à sa défaite aux mains d'un autre chevalier errant. D'une certaine manière la même structure se retrouve dans l'épisode de la « Joie de la Cour » d'*Érec et Énide*.)

LE MARIAGE D'YVAIN

RÉSUMÉ

Yvain est si bouleversé de se trouver en présence de sa dame que la demoiselle doit le tirer par le bras et se moquer de lui (« N'ayez pas peur que ma dame vous morde ») pour qu'il se décide à lui adresser la parole. Finalement il se jette à ses genoux et se remet entre ses mains, en lui demandant pardon de lui avoir causé du tort. La dame se préoccupe d'abord de la question légale : avait-il, oui ou non, l'intention de lui nuire ? Le dialogue sur ce point reprend presque terme à terme l'échange fictif imaginé par la dame au moment où elle cherchait à se justifier à ses propres yeux. Elle s'étonne ensuite de la soumission absolue du chevalier, et demande d'où elle vient : il s'ensuit un dialogue courtois au cours duquel Yvain avoue son amour, et se déclare prêt à défendre la fontaine. Sans autre forme de procès, la dame lui annonce qu'ils sont désormais bien accordés, puis l'emmène dans la salle où sont rassemblés ses barons, à qui elle présente Yvain, fils du roi Urien, comme son nouvel époux. Les barons sont parfaitement satisfaits (mais on ne leur a pas dit qu'Yvain était le meurtrier d'Esclados le Roux, mari de la dame depuis six ans), et conseillent que le mariage ait lieu immédiatement, ce qui se produit en effet : Yvain épouse sur-le-champ la fille du duc Laudunet, et devient le défenseur de la fontaine.

COMMENTAIRE

Le dialogue amoureux

Une fois réglée la question proprement légale, Chrétien de Troyes prend un plaisir manifeste à composer un petit dialogue (une douzaine de vers seulement) où s'exprime l'essence de la relation courtoise : c'est le cœur d'Yvain qui le pousse à s'abandonner entièrement à la dame, et ce sont ses yeux qui ont poussé son cœur à sentir ainsi : ses yeux en effet ont vu la grande beauté de la dame, et c'est par eux qu'il a été frappé d'amour pour elle. Yvain, timide, répond par monosyllabes aux questions de la dame, qui est parfaitement consciente des sentiments qui le gouvernent, et qui feint l'étonnement. Ce petit dialogue empreint de délicatesse et d'humour se situe dans toute une tradition qui va de l'aveu que fait Lavine de son amour pour Énéas, dans le roman qui porte ce titre, à la déclaration d'amour par monosyllabes échangés semaine après semaine dans le roman occitan de *Flamenca*. Comme toujours, Chrétien, tout en maniant superbement la rhétorique courtoise, en fait un traitement au second degré, qui prend ses distances par rapport au code dominant.

L'onomastique

Contrairement à ce qui se passe dans *Le Chevalier à la charrette*, le héros n'est pas anonyme, au contraire : il est présenté dès l'origine comme l'un des chevaliers les plus importants de la cour d'Arthur, et c'est en raison de ses liens familiaux avec Calogrenant qu'il est impliqué au premier chef dans l'aventure de la fontaine. Mais l'anonymat est déplacé cette fois du côté du personnel féminin : la dame de la fontaine n'est jamais nommée, sauf une fois dans un manuscrit : et tout porte à croire que le scribe a fait une erreur de lecture, ou qu'il a délibérément choisi de baptiser « Laudine » la fille du duc Laudunet, afin peut-être de se conformer à une mode de nomination à tout prix qui n'existe pas encore du temps de Chrétien... De la même manière, la « demoiselle » par l'intermédiare de qui se fait le mariage ne porte pas de nom, jusqu'au moment de sa rencontre avec Gauvain. Quant au premier mari de la dame, il se voit décerner à titre posthume, et en quelque sorte par un remords de conscience de l'auteur, le nom d'Esclados le Roux, ce qui fait d'ailleurs de lui une figure connotée négativement : la couleur rousse signale soit une origine surnaturelle (il s'agirait alors d'un chevalier « faé »), soit simplement un caractère méchant et enclin à la traîtrise : ultime manière de justifier le meurtre d'Yvain, au moment où ce dernier prend la place du mort ; décidément, la dame de la fontaine a gagné au change.

La structure féodale

La dame de la fontaine et sa demoiselle suivante n'en font qu'à leur tête. Dès l'instant où la demoiselle a décidé d'organiser le mariage (le texte insiste sur le fait qu'elle a « bien accompli son dessein »), elle manœuvre de manière à écarter tous les obstacles. De même, une fois décidée à prendre Yvain pour époux, la dame ne s'embarrasse pas de scrupules. Néanmoins, extérieurement, toutes deux sauvent les apparences, et respectent extérieurement les formes du système féodal, selon lequel la dame qui dispose d'un fief doit le gouverner en accord avec ses barons, et doit consulter ceux-ci quand elle a des décisions importantes à prendre, en particulier lorsqu'elle veut se marier. En l'occurrence, les barons, peu désireux d'entreprendre la défense de la fontaine, qui est en quelque sorte la malédiction, la « mauvaise coutume » attachée au fief, se laissent facilement convaincre d'accepter l'époux que la dame leur présente, sans chercher à approfondir les circonstances à l'issue desquelles Yvain en est venu à demander la dame en mariage. Le cadre externe de la relation féodale entre suzeraine et vassaux est respecté à la lettre, mais dans l'esprit les deux femmes sont maîtresses de la situation.

LA COUR D'ARTHUR À LA FONTAINE

RÉSUMÉ

Le mariage a eu lieu sur-le-champ, en raison de l'imminence de la visite d'Arthur, qui est perçue par les habitants du fief comme une invasion. Au jour dit, toute la cour est là en effet, et on s'étonne de l'absence d'Yvain : Keu, bien entendu, fait à ce sujet des commentaires désobligeants quant à la valeur du chevalier. Arthur se décide à verser un peu d'eau sur le perron, afin de déclencher la merveille. Dès que la tempête s'est apaisée, Yvain charge, tout armé. Keu, comme il se doit, réclame le droit de «fournir la bataille», et le roi Arthur le lui octroie; Yvain, qui a reconnu le sénéchal à ses armes, espère bien se venger de ses railleries. En effet, il lui fait mordre la poussière à la joute, puis rend courtoisement son cheval au roi Arthur qui s'étonne : il ne connaît pas ce chevalier. Yvain alors se nomme, et raconte son aventure, et tout le bien que lui a fait la demoiselle. Tout le monde s'en réjouit (excepté Keu tout honteux d'avoir accusé Yvain de lâcheté), et plus que les autres Gauvain est très heureux, parce qu'il est l'ami et le compagnon privilégié d'Yvain. Celui-ci invite la cour à séjourner au moins une semaine dans son nouveau domaine, et, quand le roi accepte cette offre, dépêche un messager à la dame afin qu'elle fasse bon accueil à ses hôtes.

Accompagnée de ses barons, elle vient à leur rencontre, et la semaine prévue se passe dans les fêtes et les distractions courtoises. Tout particulièrement, l'auteur mentionne la rencontre du soleil et de la lune, à savoir de Gauvain, le chevalier solaire, et de la demoiselle qui est venue en aide à Yvain, dont le nom est Lunete : Gauvain la traite comme son amie, en raison des services qu'elle a rendus à son compagnon. Cependant au bout d'une semaine, la cour se prépare à repartir. Mais ni le roi ni Gauvain ne veulent laisser Yvain en arrière : ils ont passé la semaine à le persuader de ne pas être «récréant» par amour, et de quitter sa femme pour aller courir les tournois comme il convient à un chevalier de renom. Gauvain déploie des trésors d'éloquence à cet effet, insistant sur le fait qu'un chevalier qui a belle amie – ou belle épouse – doit d'autant plus exercer sa prouesse en l'honneur de sa dame. Mais il conclut que si lui-même aimait une aussi belle dame qu'Yvain, il ne suivrait peut-être pas ses propres conseils... Quoi qu'il en soit, Yvain se décide à demander «congé» à sa dame.

Il l'obtient par ruse, dans la mesure où il la prie de lui accorder un don, sans en préciser d'abord la nature, selon le principe du «don contraignant». La dame, généreuse, fait contre mauvaise fortune bon cœur, et l'autorise à s'absenter pendant un an, jusqu'à l'octave de la Saint-Jean: s'il dépasse d'un seul jour le terme fixé, il perdra sans recours ses faveurs. Yvain se lamente: un an, c'est bien long. Il souhaiterait être colombe, pour pouvoir venir souvent là où restera son cœur, auprès de sa dame. Par ailleurs, il se peut qu'il soit dans une situation telle qu'il ne puisse, en dépit de son désir, revenir à temps: il peut être prisonnier, ou blessé; la dame aurait dû faire une exception pour ces deux cas. Elle consent à le faire, mais affirme que c'est parfaitement inutile: en effet, elle donne à Yvain un anneau dont la puissance est telle qu'il n'a garde de prison ni de blessure aussi longtemps qu'il le porte. Ainsi protégé, Yvain s'en va avec la cour, et la dame les accompagne aussi loin qu'elle le peut, toute en larmes. Yvain aussi fait triste figure, mais le narrateur prévoit que, distrait par Gauvain, il oubliera le terme fixé, ce qui lui causera bien des souffrances.

COMMENTAIRE

Le soleil et la lune

L'allusion à la nature solaire de Gauvain (liée à son origine mythique, selon laquelle sa prouesse varie aux différents moments de la journée et va de pair avec le mouvement du soleil dans le ciel) est occultée ici sous une simple figure de rhétorique: Chrétien explique qu'il assimile Gauvain au soleil parce qu'il est la fleur de toute chevalerie, et que l'univers chevaleresque est «enluminé» par lui comme le monde est éclairé par le soleil. Dans ces conditions, le fait de baptiser Lunete la demoiselle ressortit seulement à une volonté précieuse d'établir un parallèle entre deux figures que tout contribue à réunir : en effet, si Gauvain est le double d'Yvain, Lunete est le double de la dame de la fontaine (en fait, c'est sans doute l'inverse, mais peu importe ici). Mais il est clair qu'à l'origine cette alliance toute courtoise (il n'est pas question d'amour entre les deux personnages, mais de « service », au sens où n'importe quel chevalier peut offrir son service à n'importe quelle dame, et de « donoi », c'est-à-dire de flirt : c'est la spécialité de Gauvain, parangon des vertus courtoises et chevaleresques, mais qui n'est jamais engagé dans une relation exclusive du type de la « fin'amor » d'un Lancelot), correspondait en fait à un substrat mythique beaucoup plus essentiel que le mariage d'Yvain et de « Laudine », et se voyait dotée d'une signification cosmologique fondamentale. Précisons que, seule ou presque, de toutes les héroïnes de romans du XIIe et du XIIIe siècle, Lunete est brune : ce qui est en rapport avec sa qualité lunaire, c'est-à-dire, nocturne, et prouve que dans son cas les traits mythiques survivent en dépit du canon de la beauté courtoise (inévitablement plus blonde que l'or).

Amour conjugal et « récréantise »

Il semble qu'avec le dilemme d'Yvain, Chrétien de Troyes revienne au problème qu'il posait dans son premier roman, *Érec et Énide* : un chevalier peut-il concilier prouesse et mariage, devoir chevaleresque et obligations matrimoniales ? Non sans mal, et après une période de « récréantise » due à son trop grand amour pour sa femme, Érec parvenait à trouver un équilibre entre les deux dimensions de son personnage. Il faudra de la même manière qu'Yvain, par le biais d'une série d'épreuves qualifiantes, parvienne à dépasser le stade du chevalier errant, *juvenis* en quête d'aventures, ou à la rigueur amant courtois qui, tel Lancelot, accomplit ses prouesses au nom de la dame qu'il adore, mais qu'il ne voit que très rarement, pour parvenir au statut du suzerain, dont les qualités guerrières ne sont mises en doute, mais qui est prêt à assumer ses responsabilités vis-à-vis de la société féodale.

« Geis » celtique et contrat courtois

Le terme mis par la dame au retour d'Yvain souligne bien sa nature féerique : il s'agit clairement d'un de ces « tabous » qu'imposent fréquemment les fées à leurs amants mortels (le plus fréquent, que l'on voit apparaître par exemple dans le *Lai de Lanval*, de Marie de France, est celui du secret : la fée ne veut plus «ou ne peut plus» aimer le chevalier qui révèle son existence à autrui ; évidemment, dans ce cas, après que toute la cour d'Arthur a été témoin du bonheur «conjugal» d'Yvain, ce tabou est impossible). Par ailleurs, du point de vue de la logique narrative, les réticences de la dame à laisser partir son époux se comprennent parfaitement : elle s'est mariée pour trouver un défenseur à sa fontaine, et il est anormal que ce défenseur aille courir les aventures en chevalier errant irresponsable. Qui se marie avec une créature de l'Autre Monde doit en respecter les règles, et en particulier renoncer à en sortir à son gré : la fonction de défenseur de la fontaine est une prison dorée, mais une prison tout de même.

Après l'anneau d'invisibilité de Lunete, il n'est pas surprenant de voir que la dame, elle aussi, donne un anneau à Yvain : la fonction n'en est pas bien définie : en un sens, il semble doté de vertus magiques, puisqu'il protège celui qui le porte de toute blessure et de toute défaite dans un combat. Mais on pourrait aussi l'interpréter dans un sens strictement courtois, suggéré par la dame elle-même : sa vue rappelle au chevalier la dame qui le lui a donné, et ce souvenir, comme il se doit, décuple ses forces, le rendant à peu près invincible. Il est intéressant de voir comment Chrétien de Troyes réussit à fondre de manière harmonieuse des éléments ressortissant à une thématique magique, et d'autres qui font partie du code courtois à la mode.

LA FOLIE D'YVAIN

RÉSUMÉ

En dépit de son amour pour sa dame, qui ne lui permet pas de l'oublier un seul instant, Yvain laisse passer le terme fixé : revenant d'un tournoi auquel il a participé avec Gauvain – et où ils ont bien sûr remporté le prix –, il se rend compte de sa transgression, et sombre dans la mélancolie, bien qu'il s'efforce de dissimuler son chagrin à ses compagnons. Précisément à ce moment arrive une messagère qui salue le roi et tout le monde à la cour, à l'exception d'Yvain, «le traître, le déloyal», qui a trahi la meilleure dame qui soit au monde : alors que celle-ci a passé chaque jour de l'année dans le chagrin, regrettant l'absence de celui qu'elle aimait loyalement, lui l'a oubliée, et n'est pas revenu au jour dit : désormais, l'amour est changé en haine ; la dame ne veut plus rien avoir à faire avec Yvain, et exige qu'il rende son anneau à la messagère.

Yvain est tellement accablé par ce message qu'il ne peut réagir. La demoiselle lui arrache l'anneau du doigt, puis s'en va. Par discrétion, les autres chevaliers laissent Yvain seul, car ils pensent qu'il ne se soucie pas de leur compagnie à un tel moment. Yvain se retire loin de la foule, à son logement, et subit alors une sorte de transport au cerveau : il perd le sens, il devient «forcené». Il s'en va par la forêt et tous le cherchent en vain : pendant ce temps, il mène la vie d'un homme sauvage, se nourrissant de venaison qu'il attrape de ses mains nues et qu'il mange toute crue. Au bout de quelque temps, il parvient à une clairière qu'est en train de défricher un ermite : d'abord effrayé, celui-ci le prend en pitié et s'efforce de le ramener par degrés à la civilisation, d'abord en lui offrant à manger du pain, puis en faisant cuire pour lui la venaison que le pauvre fou, l'«homme sauvage», lui apporte.

Un jour, alors qu'il est endormi tout nu dans la forêt, viennent à passer deux demoiselles avec leur dame. L'une d'entre elles descend de cheval pour voir le fou de plus près, et finit par reconnaître en lui Yvain, malgré les changements que la folie a causées à sa physionomie, grâce à une cicatrice qu'il porte au visage. Elle vient annoncer la nouvelle à sa dame, et lui fait remarquer qu'elle aurait bien besoin de l'aide d'un tel chevalier contre le comte Alier qui lui fait la guerre. Mais évidemment il faudrait guérir Yvain, qui sans doute est «hors de sens», sans quoi il ne se trouverait pas dans un tel état. Qu'à cela ne tienne, dit la dame : elle a justement un onguent que lui a donné jadis la sage Morgue, qui peut guérir n'importe quelle folie. En hâte, les trois dames reviennent à leur château, et la demoiselle qui a reconnu Yvain se voit chargée de l'onguent. Sa maîtresse la prie d'en prendre grand soin, car il est très précieux, et de n'en oindre que le front et les tempes du chevalier : le reste de sa personne n'a aucun mal. Elle lui donne aussi des vêtements convenables pour un chevalier, afin qu'une fois guéri Yvain puisse voiler sa nudité.

Courageusement la demoiselle s'approche de l'« homme sauvage » toujours endormi, mais dans son zèle elle utilise tout l'onguent, dont elle frotte le corps entier d'Yvain : c'était parfaitement inutile, mais elle le fait en raison de son grand désir de lui venir en aide. Après quoi elle s'éloigne discrètement, pour qu'Yvain ne soit pas trop honteux à son réveil, mais elle laisse près de lui les vêtements préparés à son intention. Yvain se réveille, et se demande ce qu'il fait dans cette tenue et dans ce lieu qu'il ne reconnaît pas. Il s'habille cependant, et s'aperçoit qu'il est si affaibli qu'il est incapable de marcher. La demoiselle fait semblant d'arriver par hasard, et l'invite à l'accompagner chez sa dame. Yvain accepte, mais seulement après s'être enquis du besoin que la dame du château pouvait avoir de lui. Au retour, ils traversent une rivière profonde, et la demoiselle y jette la boîte vide qui a contenu l'onguent : elle projette de dire à sa dame que c'est arrivé par accident, parce que son cheval a bronché au milieu du pont et a failli la précipiter dans les flots, ce qui aurait été plus grave que la simple perte de l'onguent...

La dame n'en disconvient pas, mais elle éprouve néanmoins une grande colère d'avoir perdu quelque chose de si précieux en faveur d'un bien encore incertain. Cependant, elle donne l'ordre à sa maisnie de bien servir le chevalier, afin qu'il soit en forme pour combattre le comte Alier au jour dit.

COMMENTAIRE

La rupture

Il n'y a pas de suspense dans un roman médiéval. L'intervention de la messagère ne constitue donc pas une surprise, ni pour le lecteur, ni pour Yvain lui-même, qui est parfaitement conscient de sa transgression. Comme il est naturel, la scène de rupture qui entraîne la déchéance du héros a lieu tout de suite après son triomphe : alors qu'Yvain est honoré de tous pour sa prouesse, il perd tout ce qu'il avait acquis du fait de sa déloyauté « involontaire ». La messagère de Laudine ressemble à la demoiselle hideuse qui viendra accabler Perceval dans *Le Conte du Graal* : comme elle, elle intervient lors d'une fête où Yvain est choyé par toute la cour, et comme elle, elle salue courtoisement le roi et les autres chevaliers, ne faisant une exception que pour Yvain, ainsi marqué au fer rouge de l'ignominie. Comme on peut s'y attendre dans un roman aussi bien composé, le discours qu'elle tient reprend presque mot pour mot les menaces de Laudine avant la séparation : désormais l'amour est tourné en haine, ce qui constitue d'ailleurs un leitmotiv misogyne fréquent dans la littérature médiévale : les femmes changent aisément d'avis, et si on les dédaigne, leur haine est aussi violente que l'était leur passion amoureuse.

La folie et le retour à l'animalité

La folie est une maladie fréquente chez les chevaliers amoureux ; c'est même une affliction systématique chez Lancelot, qui chaque fois qu'il a un différend avec Guenièvre devient fou pour un temps plus ou moins long. Par ailleurs, certains chevaliers chez qui le substrat mythique est plus sensible que chez les grands héros de la Table Ronde, sont sujets à des crises de folie meurtrière qui les apparente sans doute aux guerriers *berserker* de la mythologie nordique. La raison pour laquelle ce mal afflige si fréquemment les chevaliers est que ceux-ci représentent le produit le plus achevé de la civilisation humaine : il est donc particulièrement impressionnant de les voir perdre soudain tous les attributs de l'être humain, et se ravaler au rang de l'animal, de la « bête mue » (bête muette, qui n'a pas la parole) comme le disent souvent les textes.

La folie chevaleresque se manifeste en effet toujours de la même manière : le chevalier bien vêtu, bien armé, et qui doit une bonne part de sa beauté à ses parures se met soudain à ressembler au modèle canonique de l'« homme sauvage », à la fois nu et velu comme un animal. Il faut noter que la reconnaissance, l'identification d'un personnage par la société passe par son apparence physique et sa conformité au code vestimentaire en vigueur : la demoiselle de Noroison ne reconnaît pas d'abord Yvain, parce qu'il ne porte pas ses vêtements et ses armes habituels. Dans une large mesure, au Moyen Âge, l'habit fait le moine, et l'apparence est aussi importante que la réalité cachée, dont on ne conçoit d'ailleurs pas qu'elle puisse différer de l'apparence...

Par ailleurs, la régression d'Yvain est illustrée par l'adoption d'un régime alimentaire qui l'apparente à une bête fauve (ce n'est peut-êre pas sans incidence sur sa rencontre ultérieure avec le lion) : comme l'a démontré Lévi-Strauss, la distinction entre le cru et le cuit constitue une des pierres de touche de la civilisation. Il n'est pas surprenant que l'ermite soit effrayé lors de sa première rencontre avec cet humain déshumanisé, mais la technique qu'il emploie pour le ramener progressivement, sinon à la santé, du moins à un stade primitif d'humanité, montre qu'il perçoit parfaitement les enjeux liés au mode de nutrition des personnages. De la viande crue Yvain passe au pain, c'est-à-dire à un mets réservé aux ermites, et aussi à ceux qui font pénitence, puis à la viande que cuit pour lui le saint homme, conscient que c'est le régime carné qui définit dans une large mesure le chevalier !

Le chevalier comme mercenaire

Le point de vue de la dame de Noroison n'est pas entièrement désintéressé : si elle se préoccupe de guérir le fou, c'est parce qu'elle a reconnu en lui Yvain, l'un des meilleurs chevaliers du monde, et qu'elle a grand besoin d'un champion. Yvain d'ailleurs est tout prêt à remercier sa bienfaitrice en combattant pour elle : le discours courtois se surimprime sur un échange de nature presque commerciale, et la violence de la réaction de la dame, quand elle apprend que l'onguent est perdu, prouve bien qu'il ne s'agit pas d'une générosité inconsidérée, mais d'une utilisation rationnelle des biens disponibles : l'onguent (tout cadeau de Morgue qu'il soit, c'est-à-dire de nature magique et féerique), ou aussi bien la valeur guerrière du chevalier forcené.

LE CHEVALIER AU LION

RÉSUMÉ

Le comte Alier attaque le château de la dame alors qu'Yvain achève de retrouver ses forces. Dans la bataille qui s'ensuit, Yvain fait merveille, et défait à lui seul, pour ainsi dire, l'armée ennemie, pour la plus grande admiration de tous les spectateurs. Il fait prisonnier le comte lui-même et le remet entre les mains de la dame de Noroison, puis il prend congé, en dépit de ses efforts pour le retenir, en lui offrant sa terre et elle-même comme amie ou épouse.

Yvain chevauche « pensif » au plus profond de la forêt : il entend alors un cri pitoyable, et, en bon chevalier, va voir de quoi il s'agit. Il découvre un lion aux prises avec un serpent (c'est-à-dire à peu près un dragon) et se demande auquel des deux il va venir en aide. Après réflexion, il décide de secourir le lion, « bête franche et gentille », de préférence au serpent, venimeux et « méchant ». Si le lion l'attaque ensuite, il avisera. Il intervient donc et coupe en deux le serpent de son épée. Mais dans le cours de l'opération il lui faut couper aussi un petit morceau – le plus petit qu'il peut – de la queue du lion, que le serpent tenait dans sa gueule. Après avoir ainsi mis à mort le serpent, Yvain se prépare à se défendre contre le lion qui se précipite sur lui. Mais ce n'est pas pour l'attaquer, au contraire : l'animal s'« agenouille » devant le chevalier, lui « tend les mains » et mouille ses pieds de larmes, indiquant par là qu'il remercie son sauveur et se met à son service.

Yvain reprend sa route, et le lion l'accompagne, qui est bien décidé à ne jamais le quitter. Le lion se conduit d'instinct comme un bon chien de chasse : il tue un chevreuil, puis le charge sur son dos (!) et le rapporte à Yvain qui le fait cuire. Après cela, le chevalier s'endort sans crainte dans la forêt, pendant que le lion monte la garde et surveille en particulier le cheval.

COMMENTAIRE

La bataille contre Alier

L'épisode du combat contre le comte Alier ne fait pas véritablement partie du processus de réhabilitation que va encourir Yvain : il s'agit plus simplement d'une séquence de rétribution, au cours de laquelle il rend à la dame de Noroison le bienfait qu'elle lui a procuré en le guérissant de sa folie. Pour cette raison, les causes de la guerre entre le comte et la dame ne sont pas exposées : le problème n'est pas de savoir si Yvain combat pour une cause juste ou non, mais de constater qu'il est revenu, sur le plan physique, à son état primitif de bon chevalier, preux et courtois (la dimension courtoise est à lire dans l'admiration des spectatrices, qui répètent à l'envi que l'amie d'un tel chevalier doit s'estimer bien heureuse – ce qui ne manque pas d'ironie dans le contexte!). En rendant le comte prisonnier à la dame de Noroison, Yvain acquitte sa dette envers elle, et se conduit comme tout bon chevalier errant, mettant ses forces au service des dames et demoiselles en détresse; là encore, sa conduite rappelle celle de Perceval dans *Le Conte du Graal*, libérant par sa seule prouesse le château de Beaurepaire des ennemis qui l'assiégeaient depuis des semaines. Ce n'est qu'après avoir ainsi apuré tous les comptes qu'Yvain va pouvoir faire les premiers pas sur le chemin qui mène à la perfection morale et spirituelle.

Le lion et le serpent

Le combat entre le lion et le serpent a évidemment une valeur symbolique : dans la *Queste du saint Graal*, le serpent symbolisera de manière constante le diable, ou au mieux l'Ancienne Loi, tandis que le lion est l'image de la Nouvelle Loi et du Christ. Cette lecture symbolique est d'ailleurs présente dans tous les Bestiaires, avec des justifications plus ou moins fantaisistes. Yvain fait donc indubitablement le bon choix, lorsqu'il décide de venir en aide au lion et non au serpent. Il est plus difficile de savoir comment interpréter le détail de la queue coupée, sur lequel la critique s'est beaucoup interrogée : peut-être cela suggère-t-il qu'Yvain, encore imparfait, doit progresser avant de parvenir à un état de complétude physique et spirituelle.

Désormais Yvain est sur la voie de la rédemption; il a acquis l'auxiliaire indispensable qui symbolise l'« homme nouveau » que va devenir le chevalier failli, et du même coup il a acquis le nom grâce auquel il pourra reconquérir sa dame. Contrairement à Lancelot, désigné dans la première partie du *Chevalier à la charrette* par la périphrase du « Chevalier charreté », ou du « Chevalier qui fut dans la charrette », et dont on apprend seulement le nom, signe de son intégration sociale, à la moitié de l'œuvre, Yvain effectue le parcours inverse : il est d'emblée doté d'une identité sociale et familiale très satisfaisante, mais qui s'avère pourtant insuffisante, et à son progrès moral correspond l'attribution d'une désignation périphrastique dotée de très riches connotations symboliques.

LUNETE AU BÛCHER
ET HARPIN DE LA MONTAGNE

RÉSUMÉ

Toujours accompagné de son lion, Yvain arrive à la fontaine merveilleuse. En reconnaissant les lieux, il se pâme de douleur, et reste évanoui si longtemps que le lion, le croyant mort, décide de se suicider en se jetant sur l'épée de son maître. Heureusement, alors qu'il est sur le point de mettre ce projet à exécution, Yvain revient à lui. Il recommence à se lamenter, se reprochant d'avoir perdu par sa faute le grand bonheur qui lui était assuré ; il connaît même la tentation du suicide, prêt à prendre modèle sur le lion. À ce moment, une prisonnière enfermée dans la chapelle s'adresse à lui et lui demande les raisons de ses plaintes. Interrogée sur son identité, elle répond qu'elle est la plus « douloureuse chose du monde », provoquant les protestations d'Yvain qui s'estime plus malheureux qu'elle ; mais elle rétorque qu'elle est enfermée, alors que lui peut aller et venir, et que par-dessus le marché elle sera condamnée à mort le lendemain. On l'accuse, mais à tort, de trahison. Deux hommes seulement pourraient la défendre contre ses trois accusateurs : l'un est Gauvain, l'autre Yvain. Celui-ci reconnaît alors dans son interlocutrice Lunete, la demoiselle qui l'a sauvé jadis. En effet, c'est bien elle : sa dame l'a prise en haine, parce qu'elle avait épousé sur son conseil le « traître » Yvain, et le sénéchal en a profité pour l'accuser de trahison. Dans sa panique, Lunete a proposé de se justifier par combat judiciaire, d'un chevalier contre trois. En dépit de l'iniquité de cette solution, elle a été acceptée, et depuis, la malheureuse cherche en vain un champion : elle est allée à la cour d'Arthur, mais Yvain n'y était pas – et pour cause –, et Gauvain était parti en quête de la reine, enlevée par un chevalier étranger qui l'avait conquise sur Keu.

Yvain, cela va de soi, déclare qu'il livrera bataille le lendemain pour Lunete, mais la prie de préserver son incognito. Celle-ci refuse cependant son offre : il vaut mieux qu'elle meure seule plutôt que d'entraîner dans la mort l'un des meilleurs chevaliers du monde, comme cela ne pourrait manquer d'arriver si Yvain devait affronter en même temps trois ennemis. Mais Yvain se borne à répéter qu'il sera là le lendemain. Entre-temps, il va chercher un « hôtel » où passer la nuit.

Il arrive en effet à un château dont les environs sont complètement rasés : on en saura la raison plus loin. Les gens du château refusent d'abord d'accueillir son lion, mais quand Yvain se porte garant de sa bonne conduite, ils lui font bon accueil. Ses hôtes se conduisent de bien étrange façon : tantôt ils se réjouissent en son honneur, tantôt ils se lamentent à cause d'une aventure qui doit se produire le lendemain avant midi. Le seigneur du lieu, sur les instances d'Yvain, raconte toute l'histoire : il a une fille de très grande beauté qu'un géant odieux, nommé Harpin de la Montagne, voulait prendre pour épouse. Naturellement il a refusé, et le géant a entamé contre lui une guerre inexpiable, au cours de laquelle il a non seulement pris et brûlé tous les manoirs dépendant du seigneur, mais aussi tué deux de ses six fils et fait prisonniers les quatre autres. Le lendemain il doit venir aux portes du château avec les jeunes gens, et il les tuera sous les yeux de leur père, à moins qu'on ne lui livre la jeune fille. Mais il n'est plus question qu'il l'épouse, il veut la donner à ses valets pour se venger du mépris de son père.

Yvain demande à son hôte pourquoi il n'a pas fait appel à un chevalier de la cour d'Arthur, dont c'est la fonction de défendre les victimes innocentes. Hélas ! dit le seigneur, il l'a fait, bien sûr, et Gauvain, qui est le frère de sa femme, n'aurait pas manqué de venir au secours de sa nièce et de ses neveux, mais il est parti en quête de la reine, enlevée par un chevalier étranger. Yvain promet de débarrasser la famille de son ami et compagnon du géant, pourvu que cela puisse se faire très tôt le matin : plus tard, il doit voler au secours de Lunete. La dame du château et sa fille veulent l'en remercier à genoux, mais il ne le leur permet pas, car ce serait trop d'orgueil de sa part que de laisser la sœur et la nièce du meilleur chevalier du monde s'humilier devant lui.

Le lendemain, le géant tarde à venir. Yvain, très nerveux, déclare qu'il doit partir : pour rien au monde il ne manquerait de parole à Lunete. La jeune fille le supplie, pour l'amour de Gauvain, d'attendre encore un petit peu. À ce moment arrive le géant, armé d'un pieu aigu, avec ses otages que mène un nain hideux. Il répète le choix qu'il offre au malheureux père ; celui-ci se désespère, et Yvain s'indigne : il prend ses armes et sort affronter le géant. Celui-ci s'avère un rude adversaire, bien qu'il ne porte pas d'armure par orgueil. Heureusement, au moment critique, le lion vient à la rescousse de son maître et mord férocement la hanche de son adversaire. En définitive le géant est mis à mort, pour la plus grande joie de tous les habitants du château qui se précipitent autour du corps comme chiens à la curée. Yvain est très pressé de partir, en dépit des instances de toute la famille du seigneur qui le prie de rester, ou au moins de revenir se reposer chez eux après avoir fait sa « besogne ». Yvain ne peut le leur garantir, mais il les prie d'emmener le nain à la cour du roi Arthur, de raconter l'aventure (car on ne doit pas celer ce genre de choses) et de saluer Gauvain, s'il est de retour, de la part du Chevalier au lion, bien qu'il ne puisse savoir de qui il s'agit.

Puis il se hâte de se rendre à la fontaine, où il arrive *in extremis* : Lunete, en chemise, s'est déjà confessée et le bûcher est sur le point d'être allumé. Yvain a du mal à refréner son émotion à la vue de de sa dame qui assiste bien sûr à la scène. Il entend se lamenter les « pauvres dames » du fief, qui déplorent la mort de celle qui savait si bien intercéder en leur faveur auprès de la dame. Il se déclare prêt à faire la bataille contre le sénéchal félon et ses deux frères, qui maintiennent orgueilleusement leur accusation, et n'acceptent le combat qu'à condition que le lion se tienne à l'écart.

La bataille commence : Yvain donne du fil à retordre à ses adversaires, mais à un contre trois il est évident que le combat est très inégal. Les dames, qui n'ont pas d'autres armes, prient le ciel de venir en aide à Yvain. Le lion n'y tient plus et se jette dans la mêlée : il blesse à mort le sénéchal ; les deux autres se défendent du mieux qu'ils peuvent, et blessent l'animal ; ce spectacle redouble la fureur d'Yvain, qui triomphe finalement de ses ennemis. Lunete est réconciliée avec sa dame, les accusateurs félons sont brûlés dans le bûcher préparé pour elle, et Yvain s'en va, malgré les prières de sa dame qui, sans le reconnaître, l'invite à rester auprès d'elle le temps que ses blessures et celles de son lion soient guéries. Yvain refuse, disant qu'il ne saurait demeurer tant qu'il ne sera pas réconcilié avec sa dame. Laudine déclare alors qu'elle n'est pas bien courtoise, celle qui se courrouce contre un si bon chevalier. Après un échange à double sens, dont la dame ne perçoit pas l'ambiguïté, Yvain s'éloigne, accompagné de la seule Lunete à qui il fait promettre de sauvegarder son incognito (il s'est présenté partout comme le Chevalier au lion).

COMMENTAIRE

Le suicide du lion

Le lion est très fortement anthropomorphisé tout au long du roman : animal noble, il se voit attribuer des motivations et des réactions humaines, et le narrateur décrit en détail ses processus mentaux. C'est particulièrement impressionnant dans l'épisode du suicide, où on voit non seulement l'animal décidé à mourir puisque son maître est mort, mais où on assiste encore à toute une mise en scène, consistant à sortir l'épée du fourreau au côté d'Yvain, à la coincer entre deux roches pointe en l'air, enfin à prendre son élan pour se précipiter dessus. Ce motif du suicide par loyauté à un ami mort se retrouve dans d'autres textes, et le fait qu'il soit ici attribué au lion accentue encore la valeur symbolique de l'animal. Si le lion mourrait, ce serait l'âme d'Yvain, ou à tout le moins sa chance de rachat, qui périrait.

Le péril de Lunete

Les sénéchaux sont traditionnellement marqués de félonie. La complainte des « pauvres dames », regrettant la mort imminente de Lunete, donne une nouvelle dimension au personnage : ce n'est pas seulement une fée humanisée qui se plaît à arranger à son gré la vie sentimentale de sa dame, c'est aussi une bonne chrétienne, pratiquant autant qu'elle le peut la vertu courtoise par excellence, c'est-à-dire la largesse. Ainsi l'intervention d'Yvain ne correspond pas à une prise de parti exclusivement égoïste : en sauvant Lunete, il œuvre pour le bien public.

Le géant Harpin

La séquence consacrée au géant Harpin constitue un pot-pourri de motifs tout ce qu'il y a de plus classiques dans le roman arthurien. Mais il ne faut jamais oublier que Chrétien de Troyes est chronologiquement le premier à avoir composé des romans arthuriens, et que c'est donc dans son œuvre que ces thèmes, que l'on s'habitue par la suite à rencontrer partout, apparaissent pour la première fois dans toute leur pureté. Comme tous les géants, Harpin pose une menace de nature sexuelle : c'est à la fille du seigneur qu'il en a. De manière très significative, la mort de deux des six fils du malheureux père ne constitue pas un prix trop élevé pour préserver la virginité de la jeune fille, la pureté du lignage : il ne saurait être question de livrer une fille de sang noble, voire royal (car elle est la nièce de Gauvain, donc la petite-nièce d'Arthur), à un géant, c'est-à-dire à une créature qui incarne l'animalité brutale et le retour du refoulé. La victoire d'Yvain, aidé de son lion, sur le géant (accompagné d'un nain, autre forme d'anormalité physique qui correspond dans le lexique médiéval à une absence de qualités morales) peut être interprétée comme le triomphe du héros sur ses propres pulsions animales et asociales.

Yvain et Lancelot

C'est dans cette séquence qu'a lieu la rencontre entre la temporalité du *Chevalier à la charrette* et celle du roman en cours : l'absence de Gauvain, au moment où Lunete d'une part, sa nièce et ses neveux (il est d'ailleurs curieux de voir soudainement apparaître cette famille de Gauvain, inédite jusqu'alors : de même dans *Le Conte du Graal*, Gauvain sera doté d'une mère et d'une sœur surgies de nulle part) d'autre part, auraient terriblement besoin de lui, est en effet attribuée à sa quête de la reine, et en quelques vers, Lunete, puis l'hôte d'Yvain résument sommairement les circonstances du début du *Chevalier à la charrette* : pour la première fois, deux «aventures» de l'univers arthurien ne sont pas présentées comme indépendantes, mais comme deux parties d'un même ensemble; cette allusion casuelle à l'autre roman du même auteur contribue à doter le monde d'Arthur et de la Table Ronde d'une épaisseur réaliste considérable, tout en constituant un précieux effet d'intertextualité.

LA QUERELLE DES DEMOISELLES DE NOIRE ESPINE

RÉSUMÉ

Yvain chevauche tout doucement, avec son lion blessé qu'il a couché dans son bouclier. Ils arrivent tous deux à une maison forte où on les héberge avec joie, et où deux jeunes filles prennent soin de ses blessures ainsi que de celles de son lion. Laissant Yvain en repos dans cette demeure confortable, le conte semble s'engager dans une voie tout à fait nouvelle : il relate la mort du seigneur de Noire Espine, et la querelle qui met aux prises ses deux filles : l'aînée veut spolier sa cadette de sa part de l'héritage paternel. Elles décident de régler leur différend au moyen d'une bataille judiciaire; mais l'aînée, habilement, s'assure les services de Gauvain, à condition qu'elle lui garde le secret sur son intervention.

La cadette se rend à la cour d'Arthur, où Gauvain vient de rentrer avec la reine libérée du royaume de Gorre (mais Lancelot est resté prisonnier dans la tour de Méléagant, ce que tout le monde ignore). Elle a beau prier Gauvain, celui-ci refuse de lui venir en aide; or, la famille de la jeune fille pour qui Yvain a tué le géant Harpin arrive à la cour avec le nain qu'ils livrent à Arthur, et tout le monde chante les louanges du Chevalier au lion; la cadette de Noire Espine décide de partir à sa recherche, afin de lui demander d'être son champion. Elle chevauche jusqu'à l'épuisement, et est hébergée chez un vavasseur dont la fille entreprend la quête à sa place : elle arrive d'abord chez le seigneur qu'attaquait Harpin de la Montagne, puis, suivant ses indications, elle retrouve la trace de Lunete, qui elle-même le met sur la voie conduisant au manoir où Yvain a soigné ses blessures. La demoiselle y parvient alors qu'il vient d'en partir, et, après une folle chevauchée, elle le rejoint sur la lande.

La demoiselle plaide éloquemment la cause de la cadette de Noire Espine, insistant sur la portée morale de l'intervention du chevalier, et Yvain promet son aide. Tous deux prennent de concert le chemin du retour, mais ce faisant ils passent tout près du château de Pesme Aventure (c'est-à-dire de « la Pire Aventure »). Ils rencontrent de nombreux « vilains » qui s'efforcent de mettre en garde Yvain contre le péril qu'il court en allant dans cette direction, mais Yvain prend très mal leur intervention. Une dame d'un certain âge lui explique qu'ils agissent ainsi afin de dissuader tous les chevaliers qui passent par là d'aller chercher hôtel au château, où règne une coutume très cruelle. Il est trop tard cependant pour chercher un autre logement, et Yvain, sans se laisser impressionner par l'accueil du portier (« Entrez, lui dit-il, et soyez les mal venus ! »), pénètre avec la demoiselle et le lion dans la cour du château.

COMMENTAIRE

L'héritage de Noire Espine

L'aventure des deux filles du seigneur de Noire Espine constitue le point culminant du processus de réhabilitation qu'encourt Yvain, parce qu'elle va lui donner l'occasion de mesurer sa force contre Gauvain, modèle absolu en matière de chevalerie. De surcroît, il est clair dès le début que Gauvain a pris dans cette querelle le mauvais parti, qu'il défend une mauvaise cause : l'aînée, comme le dit sans ambages le texte, veut injustement déshériter sa cadette. Au contraire, celle-ci est une innocente victime persécutée, elle appartient à cette catégorie des « pucelles déconseillées » que tout chevalier nouvellement adoubé jure de défendre et de protéger. Le récit de sa quête d'un champion, sa maladie, l'errance de la jeune fille qui la remplace, tout cela contribue à accroître la sympathie du lecteur à l'égard de ce personnage et de ce qu'elle représente. Lorsqu' Yvain accepte sans se faire prier de défendre cette cause, il montre qu'il est devenu un chevalier parfait, conscient des devoirs de sa fonction, et non plus attaché à des buts simplement égoïstes. Non seulement son duel avec Gauvain prouvera qu'il est aussi bon chevalier que celui-ci, mais le fait qu'il ait le droit pour lui lui confère une supériorité morale sur son compagnon : désormais, d'un point de vue spirituel, c'est Yvain le meilleur chevalier du monde. On peut même établir une classification trinitaire : Gauvain est le parfait chevalier mondain, Lancelot (présent à la lisière du texte grâce au lien établi entre la *Le Chevalier à la charrette* et *Le Chevalier au lion* par ce dernier texte), est le parfait chevalier courtois, seul Yvain, l'emportant d'une certaine manière, est le parfait chevalier chrétien, le précurseur d'un Perceval ou même d'un Galaad. C'est en raison de ce progrès spirituel qu'il méritera finalement son pardon.

Le combat judiciaire

Alors que le processus du combat judiciaire par champions interposés pour régler un différend de nature juridique entre deux femmes incapables de combattre est tout à fait classique et naturel, l'insistance de l'aînée pour s'assurer secrètement du meilleur chevalier disponible indique que cette procédure était déjà considérée au XIIe siècle comme douteuse : on ne fait plus confiance au jugement de Dieu, on préfère obtenir des garanties plus matérielles. C'est ainsi que dans les romans du XIIIe siècle, certains personnages remarqueront avec amertume que même si la reine Guenièvre était coupable de tous les crimes possibles, personne n'oserait l'accuser, vu que son champion Lancelot est le meilleur chevalier du monde.

Il est aussi intéressant de voir comment s'établit une hiérarchie des bons chevaliers disponibles, régulièrement mise à jour : tout de suite après Gauvain, et en l'absence de Lancelot, la rumeur publique place le Chevalier au lion, dont les derniers exploits sont fidèlement retransmis à la cour par ceux qui en ont bénéficié. Comme le dit Yvain lui-même, un chevalier ne doit pas garder secrets ses hauts faits, parce qu'en réalité il est au service de la communauté et doit faire connaître ses aptitudes.

PESME AVENTURE

RÉSUMÉ

Yvain a la surprise de voir devant lui un enclos fermé de pieux aigus à l'intérieur duquel se trouvent trois cents pucelles, maigres, pâles, et vêtues de haillons, qui sont occupées à filer des étoffes d'or. Le chevalier veut demander au portier des informations à ce sujet, mais tout ce qu'il en obtient, c'est un refus catégorique et grossier. Il s'approche alors des jeunes filles, qu'il salue courtoisement, et l'une d'elles lui donne toutes les explications nécessaires : le roi de l'Île aux Pucelles, âgé de dix-huit ans tout juste, a voulu explorer le vaste monde. Hélas ! il s'est fourvoyé dans ce château, où se trouvent deux créatures diaboliques, fils d'une femme et d'un « netun », c'est-à-dire d'un démon. Ceux-ci ont voulu le contraindre à se battre avec eux en combat singulier, comme ils ont coutume de le faire avec tous les chevaliers qui passent par là, et comme il n'avait pas la force de se défendre contre eux il s'en est tiré tant bien que mal, en leur promettant de livrer chaque année un tribut de trente jeunes filles. C'est ainsi que les malheureuses sont exilées dans ce « camp de concentration » où elles doivent travailler jour et nuit, dans des conditions matérielles désastreuses, et leur travail sert à enrichir le seigneur du lieu. En plus, elles « enragent » de voir mourir tous les jeunes et beaux chevaliers qui doivent affronter les deux créatures surnaturelles, comme Yvain lui-même devra le faire le lendemain, car telle est la coutume de l'« hôtel ».

Yvain se confie à la grâce de Dieu, et continue sa route ; il arrive dans un verger où une jeune fille est en train de faire à voix haute lecture d'un roman à son père et à sa mère, seigneurs du manoir. Cette demoiselle est si belle qu'à la voir le dieu d'Amour lui-même en tomberait amoureux. Yvain est accueilli très courtoisement par toute la famille qui s'empresse à son service, et à celui de la demoiselle qui l'accompagne. Après une nuit confortable, pendant laquelle le lion a monté la garde au pied du lit de son maître, Yvain et la demoiselle vont entendre la messe. Yvain demande alors congé à son hôte, mais celui-ci le lui refuse : il doit respecter la coutume du lieu (qualifiée de « diablie » par le malheureux père), à savoir qu'il doit se battre avec deux « sergents » du seigneur ; s'il est victorieux, il aura la demoiselle pour femme, et les terres de son père, dont elle est la seule héritière. Yvain décline poliment cette offre, en dépit de la beauté de la jeune fille. Mais il n'est pas question de refuser : il doit combattre, car la demoiselle ne pourra être mariée avant que les deux monstres ne soient mis à mort.

Puisqu'il en est ainsi, Yvain se déclare prêt à les affronter : ils s'approchent, l'air féroce, armés de gourdins renforcés de métal. Le lion se hérisse à leur vue ; les deux créatures maléfiques font savoir au chevalier que le combat doit être d'un seul contre deux : il convient donc d'empêcher le lion d'y participer, car la coutume serait faussée. Yvain se plie de bonne grâce à cette nouvelle exigence, et enferme le lion dans une petite chambre près du lieu du combat. La bataille commence, et Yvain a du mal à supporter les assauts des deux « géants ». Pendant ce temps, le lion entend le bruit de la bataille et sait bien que son maître a besoin de lui ; après avoir en vain cherché par toute la chambre une issue, il ronge la porte quelque peu vermoulue et se précipite sur les deux adversaires d'Yvain : le premier est grièvement blessé par lui. Le second, accourant à la rescousse, tourne le dos au chevalier qui peut alors le mettre à mort. Le survivant se rend à merci.

Remplis de joie, les habitants de la ville, et en particulier la famille du seigneur, font fête à Yvain. Le seigneur lui offre sa fille pour épouse, mais devant les refus répétés du chevalier, qui ne donne aucune explication à sa conduite, il finit par s'échauffer. C'est plein de courroux qu'il accorde son congé à son hôte, qui réclame la libération des prisonnières : cela faisait aussi partie de la coutume. On les lui laisse avoir à contre-cœur ; elles sortent de la cité, toujours aussi mal vêtues et aussi pauvres, mais riches de liberté. Deux par deux, elles saluent Yvain, qui reprend sa route.

COMMENTAIRE

Les pucelles tisserandes

Cette séquence a suscité les commentaires de la critique : on a voulu souvent y voir une prise de conscience, et de parole, presque marxiste, d'une classe sociale opprimée se révoltant contre les structures féodales. (Il est vrai que le discours des pucelles ressemble de manière frappante aux paroles des « canuts » de Lyon, à propos desquels Aristide Bruand composa au XIXe siècle une chanson.) Cependant, il s'agit plutôt d'une variante sur le thème du tribut livré aux monstres : le tout jeune roi de l'Ile aux Pucelles s'est vu contraint de faire hommage aux deux démons qui règnent à Pesme Aventure, et les trois cents captives ressemblent davantage à des créatures féeriques sur lesquelles pèse un tabou cruel qu'à des ouvrières subissant l'oppression d'une classe dominante. En fait, le motif mythique a plutôt subi une évolution rassurante : au lieu d'être dévorées par le monstre (comme c'est le cas pour le Minotaure, par exemple), ou violées par le géant, les victimes sont simplement mises aux travaux forcés... Leur fonction de filandières les rapproche du modèle des Parques ou, dans une autre mythologie, des Nornes qui filent le destin des hommes. L'insistance du texte sur la valeur de leur travail, dont elles ne profitent pas, a pour but de souligner la méchanceté radicale des « fils du netun » : il faut avoir l'âme basse pour se préoccuper d'obtenir un profit matériel en exploitant le travail d'autrui ; cet atelier de tisserandes va à l'encontre de la vertu chevaleresque par excellence, à savoir la largesse.

Les « fils du netun »

Le produit, si l'on peut dire, de l'alliance d'une mortelle et d'une créature surnaturelle n'est que rarement positif ou bénéfique. Le texte n'entre pas ici dans les détails des caractéristiques magiques des deux monstres. Tout au plus semblent-ils être plus proches du modèle de la bête brute (déjà représenté dans le roman par le vilain gardien de bêtes et par le géant) que de l'être humain. Ce ne sont pas des chevaliers, mais des « sergents » : ils combattent à pied, et leurs armes ne sont pas des armes nobles. Il s'agit de gourdins renforcés de cercles de métal, qui contribuent à rapprocher encore ceux qui les portent d'un certain type de représentations figurées de divinités celtiques (l'« Hercule Gaulois », par exemple). Le fait qu'un seigneur apparemment courtois emploie de telles créatures pour maintenir son pouvoir sur ses terres révèle la face sombre de la chevalerie. Comme lors de sa bataille avec le géant, ce qu'Yvain combat en eux, c'est sa propre animalité, telle qu'elle est venue au jour pendant l'épisode de sa folie. Il est significatif que les deux monstres refusent de combattre à moins que le lion ne soit enfermé, et soient finalement défaits essentiellement par lui : on pourrait penser que l'intervention du lion constitue une rupture du contrat entre Yvain et ses adversaires, mais le texte considère clairement qu'elle est tout à fait normale, et même digne de louanges. Avec de tels monstres, il n'y a pas de code chevaleresque qui tienne ; tous les coups sont permis, et d'ailleurs le lion fait partie d'Yvain, il incarne une part de sa psyché.

L'hôte coercitif

Pour la première fois, un personnage qualifié du titre de « seigneur » n'est pas dépeint sous les couleurs les plus favorables. Avant même de le rencontrer, le lecteur sait qu'il s'agit d'un individu avare, âpre au gain, puisqu'il fait travailler les trois cents jeunes filles de l'Ile aux Pucelles sans même les entretenir convenablement. (En effet, les jeunes filles mentionnent dès le début que c'est au seigneur du lieu que revient le produit de leur labeur.) Si aimable et si courtois que se montre le seigneur, après avoir fait partie de ce tableau de genre inédit où l'on voit une jeune fille lire un roman à ses parents, il ne s'agit en fait que d'un mince vernis de civilisation et de courtoisie, qui vole en éclats à la moindre provocation. Quand il offre, conformément à la coutume, sa fille au chevalier vainqueur, il s'attend à tout sauf à un refus. Son indignation n'en est que plus considérable. Il fait mine d'abord de vouloir garder le chevalier en prison, puis il adopte une pose d'indifférence jouée qui lui permet au moins partiellement de sauver la face : sa fille n'est pas assez vile pour qu'il lui faille supplier n'importe quel chevalier de condescendre à l'épouser ! Tous ces détails, qui donnent de lui l'image d'un faux seigneur régnant sur son fief de manière discourtoise, convergent naturellement vers le signe le plus négatif, le lien qui existe entre ce seigneur dont on ne sait rien par ailleurs, et ces deux monstres, entachés, semble-t-il, de gigantisme, et présentés comme fils du diable : ne seraient-ils pas plutôt les fils du seigneur, ainsi connoté de diabolisme ?

NOIRE ESPINE, SUITE ET FIN

RÉSUMÉ

Yvain rejoint la cadette de Noire Espine, que sa venue réconforte grandement. Tous deux se rendent au château où séjourne Arthur, et y parviennent la veille du jour où le jugement doit avoir lieu. L'aînée, en compagnie de Gauvain incognito, attend de pied ferme sa sœur qu'elle veut déshériter, depuis quinze jours. Elle manifeste sa satisfaction : puisque personne n'est là pour représenter sa rivale, elle a donc de fait gagné le procès, et elle peut s'en aller « renir son héritage en paix ». Arthur, qui sait bien que c'est la cadette qui a raison, la somme d'attendre jusqu'à la fin de la journée. À ce moment arrivent en effet la cadette avec son champion, pour la plus grande rage de l'aînée. Arthur fait une dernière tentative pour obtenir un jugement à l'amiable, mais l'aînée ne veut rien savoir, bien que la cadette, toujours courtoise, déplore d'être responsable de la bataille entre deux si bons chevaliers.

Le combat va donc avoir lieu, et le narrateur en profite pour développer un long discours allégorique sur Amour et Haine : Yvain et Gauvain s'aiment beaucoup, et l'un ne voudrait pas blesser l'autre pour rien au monde. Pourtant, ils se battent avec la dernière férocité, et tout le monde peut voir qu'ils se haïssent. C'est qu'il y a dans le cœur humain diverses chambres, et que l'Amour s'est caché tout au fond d'une pièce sans fenêtres, alors que la Haine s'est mise au balcon... La lutte est terrible, et les spectateurs, qui admirent les mérites respectifs des deux chevaliers, s'efforcent de faire la paix entre les deux sœurs, de manière à éviter une issue fatale. Mais l'aînée se refuse avec obstination à toute conciliation. La nuit approche, et les deux chevaliers sont très las ; ils se craignent mutuellement beaucoup, et voient leur mort prochaine.

Ils font une pause, au cours de laquelle Yvain demande à son adversaire comment il est appelé. Comme toujours

Gauvain répond en toute franchise; Yvain est alors désolé d'avoir ainsi combattu son meilleur ami, et jette ses armes. Apprenant à son tour l'identité de son partenaire, Gauvain fait assaut de générosité envers lui. Chacun d'entre eux veut laisser à l'autre l'honneur de la bataille. Ils tombent dans les bras l'un de l'autre, à la grande surprise des spectateurs qui ne tardent pas à se réjouir en apprenant les nouvelles. Arthur en particulier est ravi de la tournure qu'ont prise les choses. Mais il faut encore régler le problème de Noire Espine. «Fiez-vous à moi», fait le roi, et il a recours à un subterfuge rhétorique pour contraindre l'aînée à reconnaître son tort. Arthur la menace alors de déclarer Gauvain vaincu, ce qui signifierait qu'elle a perdu son procès. Effrayée, la demoiselle promet de faire tout ce qu'on voudra: le roi la somme de rendre à sa sœur ce qui lui revient, et de la traiter désormais comme sa femme-lige, honorablement et courtoisement.

Pendant que tout le monde se congratule de cette solution heureuse, le lion arrive ventre-à-terre, pour le plus grand effroi de la foule; mais Yvain la rassure, en révélant qu'il s'agit de son lion, et qu'il est donc le «chevalier au lion»: Gauvain est d'autant plus contrit de s'être opposé à lui; il l'a bien mal récompensé pour le service qu'il lui a rendu en sauvant sa nièce et ses neveux! On emmène les deux chevaliers «à l'hôpital», car ils sont fort blessés.

COMMENTAIRE

La justice royale

Arthur est conscient dès le début de la culpabilité de la sœur aînée; mais il ne peut contrevenir aux lois: le procès doit être résolu par la bataille entre deux champions, et il lui est impossible de décider arbitrairement qu'il n'en ira pas ainsi. Il est même prêt à reconnaître la défaite de la cadette, si elle ne peut produire à temps un champion. Tout au plus, peut-il donner une interprétation aussi large que possible aux règles qui s'appliquent à ce genre de cas. Ce n'est que lorsque le combat singulier s'est achevé en match nul que le roi peut intervenir plus librement. Encore faut-il noter que l'aveu détourné que fait la dame de sa culpabilité (le roi demande où est celle qui veut déshériter injustement sa sœur, et la demoiselle s'avance en disant « je suis là »...) ne suffit pas à clore le procès. Il faut qu'Arthur menace la coupable obstinée dans son crime de déclarer vaincu son propre neveu pour qu'elle cède enfin, devant cet artifice légal, et rende à celle qu'elle a spoliée ce qui lui appartient.

Les frères ennemis

C'est un motif extrêmement fréquent en littérature que le combat de deux amis, voire de deux frères, qui, sans se reconnaître, s'opposent parfois jusqu'à la mort. Yvain et Gauvain, que tout rassemble, y compris l'effet d'écho qui apparente leurs noms, se trouvent contraints par les circonstances de s'affronter en un combat qui pourrait être mortel (traditionnellement, le combat en champ clos ne peut s'achever que par la mort de l'un des participants, et l'exécution de tous ceux dont il défendait la cause ; le système « courtois » tend à introduire des adoucissements dans cette structure barbare issue des temps épiques).

C'est pour Yvain l'épreuve de qualification suprême, puisque, s'il ne parvient pas à vaincre Gauvain – ce qui est totalement impensable dans le cadre de l'univers arthurien, où le neveu d'Arthur constitue l'étalon de la prouesse, l'idéal inaccessible des vertus chevaleresques, un horizon d'attente indépassable –, il réussit tout de même à obtenir un « match nul », à tenir tête à son ami-ennemi assez longtemps pour que tous, et Gauvain le premier, s'en étonnent et l'admirent. Si par ailleurs les étapes précédentes de la reconquête de son humanité le confrontaient à des créatures en marge de l'humain, il est ici réinstallé dans sa nature de chevalier courtois par le fait de cette confrontation avec le plus pur produit du système.

Achèvement du cycle

En effet, le temps de l'errance est révolu pour Yvain : ayant retrouvé son nom, sa prouesse et son honneur, il peut maintenant revenir à sa dame, entreprendre à bon droit l'ultime reconquête, celle de l'amour sans lequel il ne saurait y avoir de chevalier parfait. Que sa cause, dans l'épisode de Noire Espine, soit juste, alors que celle de Gauvain est mauvaise, augure bien de la réconciliation finale : c'est par la faute de Gauvain qu'Yvain a été déchu de son rang courtois, à cause d'une mauvaise interprétation des principes mêmes de la vie chevaleresque. Sa victoire morale en cette circonstance constitue le châtiment de la légèreté dont a fait preuve son *alter ego*, et la preuve de son propre perfectionnement.

RETOUR À LA FONTAINE

RÉSUMÉ

Une fois guéri, Yvain décide de retourner à la fontaine de sa dame : il ne cessera de déclencher la tempête que lorsqu'il aura obtenu son pardon. Il exécute en effet son projet, et tous les habitants du territoire de la fontaine se lamentent et maudissent celui qui le premier a instauré cette coutume. Lunete, impitoyable, résume la situation à sa dame : il est de son devoir de suzeraine d'avoir quelqu'un pour défendre sa fontaine, et personne parmi ses vassaux n'a le courage d'assumer cette tâche. À son habitude, la dame s'en remet entièrement à sa suivante : qu'elle trouve une solution, au lieu de lui faire des reproches ! Lunete suggère qu'on essaie de retrouver le Chevalier au lion, dont elle rappelle les prouesses. Mais il ne voudra certes pas s'occuper de la fontaine avant d'être réconcilié avec sa dame. Laudine promet de faire tout ce qui sera en son pouvoir pour obtenir cette réconciliation. Lunete, prudente, lui fait jurer sur les reliques qu'elle rendra au Chevalier au lion les bonnes grâces de sa dame si elle en a le pouvoir : la dame est « prise au jeu de la vérité ».

Lunete, satisfaite de son stratagème, monte sur son palefroi et part en quête d'Yvain, qu'elle ne croit pas trouver si tôt ; mais elle le reconnaît au lion, et lui annonce qu'elle a fait la paix entre lui et sa dame. Dans sa joie Yvain l'embrasse plus de cent fois, et l'assure de son éternelle gratitude. Ils se rendent ensemble devant la dame, et Lunete lui révèle que le Chevalier au lion n'est autre qu'Yvain son époux. La dame est fort courroucée, et consciente de s'être « fait avoir » ; mais comme le parjure est une « trop vilaine chose », elle consent à faire la paix avec Yvain, qui est transporté de joie. Désormais Yvain a tout ce qu'il désire, puisqu'il a l'amour de sa dame. Ainsi Chrétien finit-il son conte, car s'il y ajoutait quoi que ce soit il mentirait.

Chantage

Yvain a tout simplement l'intention de forcer la main à sa dame : en déclenchant la tempête sur la fontaine, il rappelle à Laudine qu'elle doit avoir un défenseur, et que c'est pour cette raison précisément qu'elle avait épousé Yvain. Il la place donc dans une situation intenable, puisque, vis-à-vis de ses vassaux, à qui elle doit protection, la malheureuse ne peut refuser de reprendre l'époux capable d'assurer la défense du territoire menacé. Le code féodal, dont dépend la fée évhémérisée, s'oppose à la logique courtoise selon laquelle un amant coupable ne saurait être à nouveau reçu en grâce.

Double langage

Lunete, bien qu'elle ne sache pas que le chevalier provocateur qui ne cesse de faire souffler la tempête est Yvain, profite de l'occasion pour avancer les affaires de celui-ci. (On est en droit de se demander si elle agit par simple « reconnaissance » pour celui qui l'a sauvée du bûcher, ou par goût de l'intrigue, parce qu'il lui plaît de régenter sa dame à son gré). Le serment qu'elle extorque à Laudine est un bon exemple de double langage, ou d'énoncé ambigu : l'un des personnages ne perçoit que la lettre du serment, l'autre est conscient des ramifications qu'il comporte. Tout se joue sur la double identité d'Yvain, qui est aussi le Chevalier au lion. En un sens, Lunete ne trompe pas sa dame : c'est bien un homme nouveau que celle-ci va pouvoir réconcilier avec celle qu'il aime.

Une fin en « queue de poisson »

Apparemment, la réconciliation purement formelle effectuée par Lunete satisfait aussi bien le lecteur médiéval que le Chevalier au lion. Mais elle est passablement artificielle aux yeux du lecteur moderne : la dame ne rend pas son amour au chevalier de son plein gré, elle ne le fait que du bout des lèvres, parce qu'elle refuse de se parjurer. On a dans cette scène l'expression la plus parfaite de l'importance de la lettre, par opposition à un contenu plus ambigu, pour la littérature médiévale. Il n'y a pas place pour la réserve mentale dans cet univers. Si la dame dit qu'elle rend à Yvain ses bonnes grâces, alors tout est résolu, car un personnage dépourvu d'épaisseur psychologique ne saurait nourrir des arrière-pensées. Le courroux de la dame est proportionnel à l'importance du serment : liée par sa parole, elle ne peut qu'aller jusqu'au bout de sa promesse, en dépit de ses réticences.

Cette séquence, comme celle du fameux « Mar i fus ! » d'Énide dans *Érec et Énide*, manifeste la toute-puissance de la parole dans le texte romanesque de Chrétien de Troyes. Celui-ci, absent du début de l'œuvre, qui se passait de prologue, fait d'ailleurs une brève apparition pour confirmer, précisément, l'importance de la parole, et de la vérité : trop parler nuit, le bon roman est celui qui se garde de rien ajouter à l'histoire qu'il doit raconter. Respect absolu de la lettre, mais aussi pratique virtuose de ses jeux, qui étourdissent le lecteur et le prennent au piège de la fiction aussi radicalement que les personnages sont pris au piège des énoncés intradiégétiques.

Synthèse littéraire

L'IMPASSE DU ROMAN

De plus d'un point de vue, *Le Chevalier à la charrette* constitue le prototype du roman courtois, et met en scène la relation amoureuse inhérente au concept de « fin'amor » dans toute sa pureté. Mais en même temps, ce texte-modèle est explicitement refoulé, rejeté par son auteur : que l'inachèvement du texte soit un fait réel ou une mise en scène inventée par Chrétien pour mieux se démarquer du projet de sa commanditaire, il reste que ce roman est présenté comme en marge de l'œuvre de l'auteur, situé même aux antipodes de ses préoccupations constantes. À l'inverse *Le Chevalier au lion* prend place tout naturellement dans le développement harmonieux d'une réflexion sur amour et mariage, telle qu'elle est perceptible dans *Érec et Énide* et dans *Cligès*, mais les conditions d'énonciation du texte (pas de prologue classique, mise en place du cadre du récit par Calogrenant, etc.), ainsi que la remise en cause, encore à peine ébauchée, de l'image exemplaire de Gauvain, parangon des vertus courtoises et chevaleresques, viennent démentir l'apparent équilibre auquel semble parvenir d'emblée le héros. Écrits sans doute en même temps, de manière parallèle, ou en tout cas, jouant à l'intérieur de l'espace textuel sur un effet de temporalité simultanée, ces deux romans constituent en fait comme un diptyque qui résume les possibilités narratives du code courtois. Dans les deux cas, on aboutit à une impasse, que *Le Conte du Graal*, en introduisant dans la littérature une dimension spirituelle, ou du moins énigmatique, nouvelle, s'efforcera de dépasser : la relation courtoise ne parvient jamais à un fonctionnement correct.

Laudine, en tant qu'épouse, s'insurge (on serait tenté de dire à bon droit) contre le principe même de la relation courtoise, telle que l'illustrent Lancelot et la reine Guenièvre : amour apparemment réciproque, mais qui ne saurait prendre pied dans la réalité ni s'insérer dans la durée. Lancelot est le prototype du chevalier errant qui va, pensif, par les landes et les forêts, multipliant les prouesses qu'il dédie à sa dame, dont la pensée ne le quitte guère, mais qu'il ne voit que de loin en loin. D'ailleurs le *Lancelot* en prose du XIIIe siècle aura fort à faire pour transformer en une véritable liaison, au sens moderne du terme, cette relation singulièrement abstraite. Il est paradoxal que Chrétien, dont le second roman, *Cligès*, constitue de manière tout à fait explicite un anti-*Tristan* au cours duquel l'héroïne rejette avec horreur l'idée même d'adultère, en vienne à créer dans l'espace littéraire le second couple de « fin'amants », qui, plus que *Tristan et Yseut*, répond aux exigences du code courtois, et va durant tout le XIIIe siècle, apparaître comme un modèle indépassable.

Mais évidemment Laudine n'a que faire d'un « ami » de cette sorte : il lui faut quelque chose de plus concret, un chevalier pour défendre sa terre. L'infrastructure féodale vient démentir les raffinements de l'idéologie courtoise, aussi bien que la logique non-aristotélicienne de la légende celtique. L'alternative qui s'offre à Yvain n'est pas réjouissante : ou bien, tel Érec dans le roman éponyme, il s'abandonne aux charmes délétères de la « récréantise » auprès de son épouse, ou bien il se conduit en bon chevalier courtois, et manque à son amie, puisque celle-ci, comme celle de Maboagrain dans l'épisode de la « Joie de la cour » d'*Érec et Énide*, désire garder auprès d'elle le défenseur de sa fontaine. Ce qui est à l'origine un simple « tabou » magique devient sous la plume de Chrétien un problème politique : en épousant Yvain, la dame ne se conformait pas seulement aux lois de l'*enamoratio* courtoise, elle remplissait sa fonction vis-à-vis de ses barons et de ses sujets ; le lien contractuel entre elle et Yvain est plus fort, de fait, que les liens amoureux. Le paradoxe est que les nécessités économiques se font jour, dans *Le Chevalier au lion*, à propos d'une dame dont la nature « faé » est encore très sensible.

MERVEILLES ET PRODIGES

Dans l'ensemble, il est frappant de constater à quel point le substrat mythique est présent dans les deux romans. Chrétien de Troyes, quel que soit le soin qu'il prend à se démarquer des «conteurs» bretons, connaît parfaitement la thématique de leurs récits, et sait la faire servir ses préoccupations idéologiques ou esthétiques. Le scénario du *Chevalier à la charrette* dans son ensemble ressortit au légendaire celtique. Les sculptures du tympan de Modène témoignent de l'ancienneté du triangle composé par le roi Arthur, la reine Guenièvre, et le ravisseur de celle-ci, Melwas, devenu Méléagant dans le texte de Chrétien. C'est que la tradition celtique fait de la femme la détentrice de la royauté en tant que principe symbolique : il va de soi que tous les prétendants au pouvoir rivalisent entre eux pour conquérir la reine, et Guenièvre, c'est-à-dire Gwenhwhyfar, «Blanc Fantôme», se voit dans tous les récits qui la concernent attribuer des mésaventures analogues à celle dont elle est victime dans *Le Chevalier à la charrette* (voir par exemple le *Roman d'Yder*). Quant aux relations entre le royaume de Gorre, de nature clairement surnaturelle, et le royaume «terrestre» de Logres, elles sont conformes à celles qui s'établissent dans les légendes celtiques entre l'Autre Monde, toujours tout proche du nôtre, et l'univers quotidien, historique en quelque sorte.

La «merveille» est peut-être moins fondamentale dans *Le Chevalier au lion*; ou, plus exactement, elle n'informe pas la totalité du récit, mais est monnayée en une série de motifs, empruntés au vaste réservoir du folklore international. Si certains épisodes sont typiquement d'inspiration celtique – par exemple celui de la fontaine et de la fée, ou celui du vilain gardien de bêtes –, d'autres semblent provenir d'horizons assez différents. Ce qui importe en fait, c'est la manière dont Chrétien de Troyes fait servir ces éléments souvent diparates à la «senefiance» nouvelle qu'il met en place. Il n'entreprend pas de rationaliser ce qui ne saurait l'être, et de couler dans le moule d'une logique causale des séquences qui relèvent d'un autre mode de pensée. La merveille est donc présentée avec le plus parfait naturel, sans que rien ne soit fait pour atténuer l'effet d'étrangeté, si ce n'est justement qu'il n'est pas particulièrement souligné : les choses semblent aller de soi, et les raffinements de la courtoisie ou les subtilités rhétoriques d'un écrivain manifestement formé à l'école de la «clergie» latinisante coexistent avec la séduction trompeusement évidente des éléments surnaturels.

CHRÉTIEN, OU LA « NOBLE RHÉTORIQUE »

Car l'élément le plus important dans la « bele conjointure » que Chrétien réalise à partir d'un substrat mythique habilement modernisé et d'une idéologie récemment importée de la France du Sud est la rhétorique. Chrétien s'avère un virtuose de l'écriture versifiée, exploitant au maximum les potentialités en apparence limitées du couplet d'octosyllabes à rimes plates. Sa façon de privilégier la brisure du couplet donne à ses phrases beaucoup plus de souplesse et d'expressivité, et lui permet de nombreuses variations sur le modèle syntaxique dominant. Mais le romancier champenois, qui est aussi l'un des premiers trouvères dont nous ayons conservé quelques chansons, ne s'arrête pas là : il met au service de morceaux de bravoure conseillés par les *artes poeticae* du temps une langue extrêmement riche en tropes, en figures de toutes sortes, et semble se délecter à la pratique de l'*ornatus difficilior*. Il s'illustre particulièrement dans le domaine de l'analyse que l'on pourrait qualifier de psychologique, disséquant très subtilement les états d'âme de ses personnages en ayant recours discrètement aux personnifications qui deviendront au siècle suivant les bases de l'écriture allégorique.

Cependant, quel que soit le degré de raffinement de ces analyses, elles gardent toujours une tonalité légère et un tant soit peu ironique. Chrétien, en effet, conserve vis-à-vis de son texte une distance souriante, et multiplie les clins d'œil au lecteur, et les effets d'humour – bien qu'il soit très difficile de déterminer ce que peut être l'humour dans le contexte d'un roman médiéval. Au contraire de ses successeurs auteurs de romans en prose, l'écrivain est extrêmement présent dans son texte, soit directement, sous la forme d'interventions et de commentaires à la première personne, soit de manière plus diffuse, par le recours aux énoncés de portée générale ou par la mise en perspective d'un élément du récit par un autre.

Par ailleurs, pour la première fois dans la littérature vernaculaire, Chrétien ne se contente pas de pratiquer une intertextualité superficielle, mais il entreprend de réorganiser la matière de deux romans de manière à donner l'impression d'un *continuum* spatio-temporel plus étendu. La simultanéité présupposée entre l'aventure du *Chevalier à la charrette* et les derniers épisodes du *Chevalier au lion* demande un travail d'ajustement extrêmement raffiné, et préfigure la grande époque des « sommes » romanesques jouant sur plusieurs séquences parallèles.

CONCLUSION

Au total, bien que ces deux romans n'aient pas eu l'impact du *Conte du Graal*, on peut, dans une certaine mesure, considérer qu'ils constituent à eux deux l'œuvre la plus équilibrée de Chrétien de Troyes, en même temps qu'une sorte de résumé idéologique, rendant compte de sa quête pour une impossible réconciliation entre courtoisie et religion, «fin'amor» adultère et mariage chrétien. Prise séparément, et en dépit des réserves de l'écrivain vis-à-vis de son propre texte, *Le Chevalier à la charrette*, avec le reflet inversé que forme le *Chevalier au lion*, représente un point d'aboutissement dans la mesure où elle mène à son terme la logique dangereuse du système courtois, et en révèle les limites. Quant à l'*Yvain*, il constitue le dernier volet dans la réflexion «terrienne» de Chrétien, avant qu'il n'entre dans la phase nouvelle que représente *Le Conte du Graal*, et est l'exemple parfait d'une œuvre de maturité, atteignant à un équilibre quasi miraculeux.

Lexique

(Les termes marqués d'une * sont des termes médiévaux)

allégorie : mode d'expression qui consiste à employer dans un cadre narratif des personnifications à la place de notions abstraites.

antithèse : procédé par lequel on emploie sous une forme négative une idée inverse de l'idée principale qui est ainsi mise en valeur.

archétype : modèle original dont proviennent toutes les versions ultérieures d'un thème ou d'un personnage.

berserker : guerrier germanique, qui est en proie à une sorte de folie sanguinaire lui permettant d'accomplir des actes surhumains et le rendant quasiment invulnérable.

deus otiosus : dieu inactif ; sert à désigner le démiurge qui dans certaines mythologies a créé le monde puis, supplanté par d'autres divinités plus jeunes, a été réduit à un rôle d'observateur passif. Par extension, personnage central qui constitue un pôle de référence, mais ne commet aucune action.

don contraignant : procédé par lequel un personnage fait promettre à un autre de lui accorder ce qu'il va demander, sans préciser d'emblée la nature de son exigence. Aussi appelé « don en blanc ».

enamoratio : procédure selon laquelle un personnage commence à en aimer un autre. Terme du lexique ovidien.

évhémérisme : conception de la mythologie qui fait des dieux et des héros d'anciens personnages historiques.

fin'amor : amour parfait(e) – le terme est féminin en ancien français – qui lie un amant courtois, soumis à toutes les volontés de celle qu'il aime, et une dame en général mariée et de condition supérieure à la sienne. Invention des troubadours, la **fin'amor** est importée en France du Nord par l'entourage d'Aliénor d'Aquitaine et évolue en un code raffiné de conduites « courtoises », c'est-à-dire pratiquées par les cours.

geis : terme celtique et pas spécialement médiéval, qui désigne un tabou ; forme de contrainte imposée à un personnage à son corps défendant, et qui en général le conduit à sa perte.

glose : discours second, commentaire qui révèle les sens cachés de la *littera*.

herméneutique : art de déterminer le sens caché d'un texte ou d'un signe.

intradiégétique : qui se situe à l'intérieur du récit.

***joï** : extase amoureuse à laquelle aspirent les troubadours sans nécessairement la confondre avec l'union physique; terme d'ancien occitan.

laudatio temporis acti : « louange du temps passé », *topos* rhétorique consistant à déplorer la dégradation des mœurs contemporaines en exaltant le passé dépeint comme un Âge d'Or.

locus amoenus : *topos* de la lyrique médiévale, qui consiste en la description d'un lieu idyllique comportant toujours les mêmes éléments : une fontaine, un arbre (il s'agit souvent d'un verger), une prairie...

messianique : qui repose sur l'idée de la venue d'un messie, d'un sauveur. La notion du libérateur des captifs de Gorre est de type messianique.

métalangue : langage spécialisé que l'on emploie pour décrire un autre langage, dit « naturel ».

métaphore : figure qui établit une relation d'analogie ou d'équivalence entre deux termes sans user d'indicateurs grammaticaux explicites.

métonymie : figure qui consiste à désigner un objet par le nom d'un autre objet qui se trouve dans un rapport de contiguïté par rapport au premier.

***nigremance** : « nécromancie », c'est-à-dire arts magiques, science du surnaturel; connotations souvent péjoratives (diaboliques). L'astrologie - « science » qui consiste à lire l'avenir dans les astres - est la branche principale de l'**ingremance**.

***premier vers** : première partie d'un roman, qui s'achève par une fin provisoire avant que l'histoire ne rebondisse, et qui peut constituer une ébauche du thème plus largement développé dans ce qui suit. Le **premier vers** d'*Yvain* va jusqu'au mariage du héros et à son départ de la fontaine avec Gauvain.

psychopompe : qui conduit les âmes aux Enfers (on parle d'un Hermès psychopompe, par exemple).

***récréant** : qui renonce aux vertus chevaleresques pour se complaire dans le luxe et la mollesse. Gauvain met Yvain en garde contre les périls de la **récréantise**.

substrat celtique : ensemble des traditions, des croyances et des légendes laissées par les populations celtiques antérieures à la christianisation, qui réapparaît dans les textes du Moyen Âge.

terminus ante quem : date avant laquelle une œuvre a été composée ; à l'opposé se trouve le *terminus a quo*, date à partir de laquelle une œuvre peut avoir été composée.

topoi : lieux communs du discours, en rhétorique.

**translatio studii* : « transfert du savoir », processus selon lequel la « clergie », c'est-à-dire la culture, aurait d'abord été détenue par la Grèce, puis par Rome, et serait désormais parvenue en Occident. Équivalent intellectuel de la *translatio imperii*, c'est-à-dire du transfert du pouvoir, selon le même parcours.

Lexique des textes cités

Andreas Capellanus : auteur (seconde moitié du XIIe siècle) du *Tractatus de Amore*, traité qui codifie la courtoisie naissante.

Cligès : roman de Chrétien de Troyes, qui illustre le principe de la *translatio studii*, et se présente délibérément comme un anti-*Tristan*.

Conte du Graal : roman de Chrétien de Troyes, où apparaît pour la première fois l'ustensile mystérieux qu'on appelle le Graal, qui va susciter une très abondante littérature pendant tout le XIIIe siècle. La première partie est consacrée à Perceval, la seconde à Gauvain.

Érec et Énide : premier roman de Chrétien de Troyes, qui pose la question de la relation entre « fin'amor » et amour conjugal.

Flamenca : l'un des deux seuls romans occitans qui nous aient été conservés, qui relate l'amour adultère entre une jeune femme férocement mais vainement gardée par un vieux mari jaloux, et un jeune chevalier doté de toutes les vertus qui n'hésite pas à se déguiser en clerc pour parvenir à sa dame.

Lai de Lanval : texte narratif bref, composé par Marie de France, qui relate l'aventure d'un chevalier aimé d'une fée.

Lancelot en prose : volet central du cycle romanesque en prose du *Lancelot-Graal*, composé aux alentours de 1225, et qui développe le motif de l'amour adultère entre Lancelot et Guenièvre.

Lanzilet : œuvre de Ulrich von Zazikhoven, sans doute composée à la fin du XIIe siècle, et qui relate les aventures d'un chevalier nommé Lanzilet, prototype probable de Lancelot du Lac.

Mabinogi de Pryderi : l'une des branches des *Mabinogion*, recueil de contes celtiques de datation incertaine ; ce texte raconte les relations du roi humain Pryderi avec un seigneur de l'Autre Monde.

Marie de France : auteur, dont on ne sait rien, d'un recueil de *Lais* illustrant de nombreux motifs courtois.

Ovide : auteur latin du siècle d'Auguste, qui a composé l'*Art d'aimer* dont la célébrité fut grande au Moyen Âge, et dont s'inspire en particulier Andreas Capellanus.

Queste del saint Graal : quatrième volet du cycle du *Lancelot-Graal*, d'inspiration cistercienne, qui décrit la quête de l'objet sacré par l'ensemble des chevaliers de la Table Ronde et sa conquête par une trinité composée de Galaad, Perceval et Bohort.

Roman d'Éneas : l'un des premiers textes de fiction composés en langue romane, qui adapte l'*Énéide* de Virgile.

Roman d'Yder : roman anonyme du début du XIIIe siècle, qui relate en particulier l'enlèvement de la reine Guenièvre et s'inspire sans doute d'un archétype romanesque perdu.

Tractatus de Amore : œuvre d'Andreas Capellanus, inspirée de l'*Art d'aimer* d'Ovide, qui codifie les principes de l'amour courtois.

Tristan de Béroul : roman de la seconde moitié du XIIe siècle, qui constitue la version « commune » de la légende des amants de Cornouailles, par opposition à la version « courtoise » de Thomas d'Angleterre.

Quelques citations

LE CHEVALIER À LA CHARRETTE

La charrette d'infamie (vers 358-373)

«..."Se tu viax monter
Sor la charrete que je main,
Savoir porras jusqu'a demain
Que la reïne est devenue."
[...]
Tant solemant deus pas demore
Li chevaliers que il n'i monte.
Mar le fist et mar en ot honte
Que maintenant sus ne sailli,
Qu'il s'an tendra por mal bailli!
Mes Reisons, qui d'Amors se part,
Li dit que del monter se gart,
Si le chastie et si l'anseigne
Que rien ne face ne n'anpreigne
Dont il ait honte ne reproche.»

(«..."Si tu veux monter dans la charrette que je conduis, tu pourras savoir d'ici demain ce qu'est devenue la reine". L'espace de deux pas seulement, le chevalier hésite à monter. C'est pour son malheur qu'il agit ainsi, et qu'il ne s'élance pas tout de suite, car cela lui vaudra bien des ennuis! Mais Raison, qui est bien différente d'Amour, lui dit de se garder de monter, et lui fait des remontrances et lui conseille de ne rien faire ni entreprendre qui puisse lui être reproché ou qui lui cause de la honte.»)

Le pouvoir d'amour (vers 715-728)

«Et cil de la charrete panse
Con cil qui force ne desfanse
N'a vers Amors qui le justise;
Et ses pansers est de tel guise

Que lui meïsmes en oblie,
Ne s'est s'il est, ou s'il n'est mie,
Ne ne li mambre de son non.
Ne set s'il est armez ou non,
Ne set ou va, ne set don vient;
De rien nule ne li sovient
Fors d'une seule, et por celi
A mis les autres en obli;
A cele seule panse tant
Qu'il n'ot, ne voit, ne rien n'antant.»

(«Et le chevalier de la charrette est pensif, en homme qui n'a pas la force de se défendre contre Amour qui le maîtrise; et sa songerie est telle qu'il s'en oublie lui-même, il ne sait s'il existe, ou non, il ne se souvient pas de son nom. Il ne sait s'il est armé ou pas, il ne sait où il va, il ne sait d'où il vient; il ne se souvient de rien, que d'une chose, et pour celle-ci il a oublié toutes les autres; à celle-ci seulement il pense tant, qu'il n'entend, ne voit et ne comprend rien.»)

La tombe de Lancelot (vers 1911-1926)

«Et letres escrites i a
Qui dïent : "Cil qui levera
Cele lamme seus par son cors
Gitera ces et celes fors
Qui sont an la terre an prison,
Don n'ist ne sers ne gentix hon
Qui ne soit de la antor nez
N'ancor n'en est nus retornez;
Les estranges prisons retienent,
Et cil del païs vont et vienent
Et anz et fors a lor pleisir."
Tantost vet la lame seisir
Li chevaliers et si la lieve,
Si que de neant ne s'i grieve,
Mialz que dis home ne feïssent
Se tot lor pooir i meïssent.»

(«Et il s'y trouve une inscription qui dit : "Celui qui soulèvera cette lame à lui tout seul libèrera ceux et celles qui sont prisonniers dans la terre dont nul, qu'il soit serf ou noble, ne sort, s'il n'est pas né dans la contrée, et aucun n'en est encore revenu ; on y garde prisonniers les étrangers, et ceux du pays vont et viennent, entrent et sortent à leur gré." Aussitôt le chevalier va saisir la lame et la soulève, sans que cela lui coûte la moindre peine, plus aisément que n'auraient pu le faire dix hommes qui y auraient mis toutes leurs forces. »)

La traversée du Pont de l'Épée (vers 3121-3129)

« Mialz se voloit il mahaignier
Que cheoir del pont et baignier
An l'eve don ja mes n'issist.
A grant dolor si con li sist
S'an passe outre et a grant destrece :
Mains et genolz et piez se blece,
Mes tot le rasoage et sainne
Amors qui le conduist et mainne,
Si li estoit a sofrir dolz. »

(« Il préférait se blesser gravement plutôt que tomber du pont dans l'eau dont il ne serait jamais sorti. Avec grande douleur, comme il l'avait bien pensé, et avec grande détresse il achève la traversée : il se blesse les mains et les genoux et les pieds, mais Amour, qui le mène et le conduit, le réconforte et le guérit, si bien que la souffrance lui est douce. »)

Dans la chambre de la reine (vers 4669-4681)

« ... Et puis vint au lit la reïne,
Si l'aore et se li ancline,
Car an nul cors saint ne croit tant.
Et la reïne li estant
Ses braz ancontre, si l'anbrace,
Estroit pres de son piz le lace,
Si l'a lez li an son lit tret
Et le plus bel sanblant li fet
Que ele onques feire li puet,
Que d'Amors et del cuer li muet.
D'Amors vient qu'ele le conjot ;
Et s'ele a lui grant amor ot,
Et il.c. mile tanz a li.... »

(« Puis il vint au lit de la reine, et il l'adore et s'incline devant elle, car il n'a autant de foi en aucune autre relique. Et la reine lui tend les bras, et l'enlace, elle le serre contre sa poitrine, elle l'attire près d'elle dans son lit, et elle lui fait le meilleur accueil qu'elle peut, car Amour et son cœur l'y poussent. C'est à cause d'Amour qu'elle lui fait ainsi fête; et si elle éprouve pour lui un grand amour, lui en ressent cent mille fois autant pour elle. »)

LE CHEVALIER AU LION

La fontaine merveilleuse (vers 800-814)

« Puis erra jusqu'a la fontainne,
Si vit quan qu'il voloit veoir.
Sanz arester et sanz seoir
Verssa sor le perron de plain
De l'eve le bacin tot plain.
Et maintenant vanta et plut,
Et fist tel tans con faire dut.
Et quant Dex redona le bel
Sor le pin vinrent li oisel
Et firent joie merveilleuse
Sor la fontainne perilleuse.
Einz que la joie fust remeise,
Vint, d'ire plus ardanz que breise,
Uns chevaliers, a si grant bruit
Con s'il chaçast un cerf de ruit. »

(« Il chevaucha jusqu'à la fontaine, et vit tout ce qu'il voulait voir. Sans s'arrêter et sans sursoir il versa sur la margelle de l'eau plein le bassin. Et aussitôt il se mit à venter et à pleuvoir, et à faire le temps qui était normal. Et quand Dieu fit revenir le beau temps, les oiseaux vinrent se poser sur le pin et menèrent une joie merveilleuse auprès de la fontaine périlleuse. Avant qu'ils ne cessent de faire joie, vint un chevalier, plus brûlant de colère que n'est la braise, faisant autant de bruit que s'il était en train de chasser le cerf. »)

La dame de la fontaine (vers 1146-1164)

«... vint une des plus beles dames
C'onques veïst riens terrïene.
De si tres bele crestïene
Ne fu onques plez ne parole;
Mes de duel feire estoit si fole
Qu'a po qu'ele ne s'ocioit
A la foiee, si crioit
Si haut com ele pooit plus,
Et recheoit pasmee jus;
Et quant ele estoit relevee,
Ausi com fame desvee,
Se comançoit a dessirier
Et ses chevols a detranchier;
Ses mains detuert et ront ses dras,
Si se repasme a chascun pas,
Ne riens ne la puet conforter,
Que son seignor en voit porter
Devant li, en la biere, mort,
Don ja ne cuide avoir confort.»

(«... vint une des plus belles femmes qu'on ait jamais vue sur cette terre. Jamais on n'a entendu parler d'une aussi belle chrétienne; mais elle était folle de douleur, au point qu'il s'en fallait de peu qu'elle n'en meure; elle criait aussi fort qu'elle pouvait, et retombait évanouie; et quand elle était revenue à elle, comme une femme qui a perdu la raison, elle commençait à s'égratigner le visage, et à s'arracher les cheveux; elle se tord les mains et déchire ses vêtements, et défaille à nouveau à chaque pas, sans que rien puisse la réconforter, car elle voit porter devant elle son seigneur, mort, dans la bière, et elle croit que jamais elle ne pourra s'en consoler.»)

Dialogue amoureux (vers 2015-2034)

«... Mes seez vos, si me contez
Comant vos iestes si dontez.
– Dame, fet il, la force vient
De mon cuer, qui a vos se tient;
An ce voloir m'a mes cuers mis.

– Et qui le cuer, biax dolz amis ?
– Dame, mi oel. – Et les ialz, qui ?
– La grant biautez que an vos vi.
– Et la biautez qu'i a forfet ?
– Dame, tant que amer me fet.
– Amer ? Et cui ? – Vos, dame chiere.
– Moi ? – Voire voir. – An quel meniere ?
– An tel que graindre estre ne puet ;
En tel que de vos ne se muet
Mes cuers, n'onques aillors nel truis ;
An tel qu'aillors pansser ne puis ;
En tel que toz a vos m'otroi ;
An tel que plus vos aim que moi ;
En tel, s'il vos plest, a delivre
Que por vos vuel morir ou vivre. »

(« Mais asseyez-vous, et racontez-moi comment il se fait que vous soyez ainsi dompté. « Dame, fait-il, cette force vient de mon cœur, qui a pris votre parti ; C'est mon cœur qui m'a mis dans cet état d'esprit. – Et qui y a mis le cœur, beau doux ami ? – Dame, mes yeux. – Et vos yeux, qui les y a mis ? – La grande beauté que j'ai vue en vous. – Et la beauté, quel crime a-t-elle commis ? – Dame, elle me fait aimer. – Aimer ? Et qui donc ? – Vous, chère dame. – Moi ? – Oui, en vérité. – Et comment ? – Tellement qu'il n'est pas possible d'aimer davantage ; tellement que mon cœur ne se détache pas de vous, et que je ne le trouve jamais ailleurs ; tellement que je ne peux penser à rien d'autre ; tellement que je me livre à vous tout entier ; tellement que je vous aime plus que moi-même ; tellement que, si cela vous plaît, je veux, pour vous, de bon cœur mourir ou vivre. »)

Le lion sauvé du serpent (vers 3384-3397)

Quant le lÿon delivré ot,
Si cuida qu'il li covenist
Conbatre, et que sus li venist ;
mes il ne le se pansa onques.
Oez que fist li lÿons donques,
Con fist que preuz et deboneire,
Com il li comança a feire

Sanblant que a lui se randoit,
Que ses piez joinz li estandoit
Et vers terre encline sa chiere;
Si s'estut sor ses piez derriere
Et puis si se ragenoilloit,
Et tote sa face moilloit
De lermes, par humilité.»

(«Quand il eut delivré le lion, il crut devoir le combattre à son tour, et qu'il allait l'attaquer; mais le lion n'a jamais eu une telle idée. Écoutez donc ce qu'il a fait, comment il s'est comporté de manière noble et vaillante, comment il a commencé à manifester par signes qu'il se mettait en son pouvoir, en tendant vers lui ses pattes jointes, et en inclinant la tête vers le sol; il se dressait sur ses pattes de derrière, puis se mettait à genoux, et arrosait de larmes sa face, en signe d'humilité.»)

Jugements critiques

« *Le Chevalier au lion* n'est pas l'œuvre la plus émouvante de Chrétien. On peut estimer qu'il est moins dramatique et moins exaltant que la *Charrette* et *Le Conte du Graal*, mais sa qualité particulière est d'exprimer un sentiment de plénitude et d'harmonie qui semble correspondre à un moment d'apogée dans l'évolution romanesque d'une éthique mondaine de la courtoisie.

Harmonie composée de voix diverses, de tonalités variées, quelquefois contrastées, mais hiérarchisées et convergentes, de sorte qu'on peut parler d'une polyphonie dans la conception et dans l'art de ce roman. »

Jean Frappier, *Étude sur Yvain ou le Chevalier au lion de Chrétien de Troyes*. Paris, SEDES, 1969.

« Ce qui touche à l'essentiel, me semble-t-il, c'est, dans ce que nous appelons la *fine amor*, la présence simultanée, la coexistence ou, plutôt, pour employer un terme de théologie, la consubstantialité du désir érotique et de sa sublimation. [...] À mon avis, la *fine amor* est un composé indissoluble, un tout global, où fusionnent la chair, le cœur et l'esprit, d'où rayonne aussi un enchantement dû à la pensée constante de la dame, à l'obsession de son image, source de joie au sein même de la tristesse. »

Jean Frappier, *Amour courtois et Table Ronde*. Genève, Droz, 1973.

« Le problème central, l'initiation du jeune chevalier, encore ignorant du fait qu'amour et chevalerie se fondent dans la « courtoisie » au plus haut sens du mot, trouve dans *Le Chevalier au lion* sa solution idéale. Le vrai amant n'obéit pas seulement à sa dame, comme un vassal à son seigneur, il ne l'adore pas seulement comme un être supérieur ; son amour l'ennoblit, le rendant courtois dans ses manières, mais aussi courtois dans sa vaillance. Celle-ci ne prend sa vraie valeur que quand, mue par amour, elle lui fait traverser l'aventure au service de l'idéal courtois, pour atteindre enfin la joie de la grâce définitive que sa dame lui concède. »

Reto Bezzola, *Les origines et la formation de la littérature courtoise en Occident*.
Genève, Slatkine/Champion, 1984.

« Pourtant, si la chevauchée fabuleuse de Lancelot se compare aux autres, elle ne se confond pas avec elles ; [...] Il a dès le principe reconnu dans l'exigence du parfait amour sa vérité. Il n'a donc pas à formuler son désir, ni à en interroger le sens ; il force moins un savoir qu'il n'en pratique, à ses dépens, comme les mystiques, l'exercice. Sa quête n'émet nulle demande, elle accomplit le geste d'une offrande sacrificielle : il se livre en holocauste à son Dieu, à l'Unique, à sa Dame, non pour s'identifier lui-même, mais pour éprouver le vouloir de l'Autre. En quoi il se distingue d'Yvain, son semblable. Car, s'il est contraint de chercher dans une terre inconnue Celle qui vit au plus intime de son être, une question, inhérente au seul fait de la quête subsiste donc, mais sans réponse, cette fois : non plus "qui suis-je ?", mais "que veut-Elle ?", et "qui est-Elle ?" ».

Charles Mela, *La Reine et le Graal*.
Paris, Seuil, 1984.

« Le vrai secret de la Littérature ne résiderait-il pas finalement au royaume de Pesme Aventure ? Lorsqu'Yvain arrive au pays où se lisent les romans, son aventure est terminée. Tel est bien, en définitive, le message initiatique promis aux élus. Le roman n'est pas au bout de l'aventure. L'Aventure est au bout du Roman. Barenton n'était qu'un appel. La voix secrète des fées résonne encore autour du site enchanté et dangereux. Le chevalier au lion peut seul s'arroger une part de ce mystère. »

Philippe Walter, *Canicule*.
Paris, SEDES, 1989.

Index thématique

(Les références en italique renvoient au *Chevalier au lion*, éd. Champion, celles en gras, au *Chevalier à la charrette*, éd. Garnier-Bordas)

Sujets de devoirs et d'exposés

1. Comment merveilleux et courtoisie s'allient-ils dans *Le Chevalier au lion* ? De quelle manière le substrat mythique transparaît-il derrière le décor courtois et chevaleresque ?

2. Du lyrisme au narratif : comment les thèmes et motifs de la lyrique courtoise occitane sont-ils modifiés par leur insertion dans le cadre d'un récit romanesque ?

3. « Fin'amor » et religion : les deux systèmes sont-ils compatibles ? Dans quelle mesure les structures du premier s'inspirent-elles de celles du second ?

4. Gauvain, parangon de la chevalerie : étudiez la figure du neveu d'Arthur telle qu'elle se dessine dans *Le Chevalier à la charrette* et dans *Le Chevalier au lion*.

5. *La Charrette* et le *Lancelot* en prose : quels changements interviennent entre le roman en vers et le texte en prose ? De quelle évolution esthétique témoignent-ils ?

6. Lisez les autres romans de Chrétien, en particulier *Le Conte du Graal* : quelle évolution peut-on discerner chez le romancier ?

7. On met souvent en garde contre les dangers d'une lecture psychologique des textes médiévaux. Montrez comment les personnages de la reine et de Lancelot ressortissent à des types, à des figures structurales dépourvues de toute dimension psychologique.

8. Quel est le sens du parcours d'Yvain ?

9. « Une molt bele conjointure » : en quoi cette expression employée par Chrétien de Troyes dans le prologue de *Cligès* pour définir son projet esthétique s'applique-t-elle au *Chevalier à la charrette* et au *Chevalier au lion* ?

10. Yvain et Lancelot constituent deux types d'amants « courtois », différents, et apparemment opposés. Retracez leur évolution en insistant sur les points de convergence.

COMMENTAIRE COMPOSÉ

Le Chevalier à la charrette, épisode du peigne de la reine.

Il s'agit en apparence d'un épisode secondaire, qui contribue à étoffer le récit de la quête de Lancelot, mais en fait il est doté d'une considérable valeur emblématique, puisqu'il met en scène l'intensité de la passion du chevalier, que la moindre trace de sa dame suffit à plonger dans l'extase.

1) Motif de conte, structure romanesque :

À priori, on ne voit pas ce que cette séquence vient faire dans le cours du récit, lequel est d'ailleurs passablement décousu, ou plus exactement composé de différents épisodes juxtaposés sans lien logique entre eux : c'est la structure traditionnelle du récit d'aventures, qui ne repose pas sur un principe de causalité rigoureuse, mais suscite l'intérêt du lecteur en lui présentant différents épisodes indépendants. Par ailleurs, de nombreux éléments restent énigmatiques : par quel hasard la reine a-t-elle laissé son peigne sur le bord de la fontaine, comment la demoiselle sait-il qu'il s'agit de la femme du roi Arthur, etc. On est en présence d'une thématique de conte de fées ; d'ailleurs, la localisation de la scène suggère un côté féerique de la reine Guenièvre, ou de la demoiselle qui accompagne Lancelot à ce stade des opérations.

2) L'extase amoureuse :

Mais le motif de conte (on peut se rappeler aussi *Le Petit Poucet*, dans lequel un personnage laisse délibérément derrière lui des signes permettant de le suivre à la trace) est complètement transformé et récupéré au service de la peinture de l'amour. Lancelot, informé qu'il s'agit du peigne de Guenièvre, et que par conséquent les cheveux qui y sont pris sont ceux de sa dame, manque de tomber de cheval tant son émotion est grande. En outre, la valeur intrinsèque de l'objet-peigne (qui est en or) est totalement négligée par lui : tout ce qui l'intéresse, ce sont les cheveux, à l'égard desquels il fait preuve d'une vénération digne d'éloge d'un point de vue courtois, mais quelque peu scandaleuse du point de vue chrétien, puisque le texte dit explicitement qu'il préfère ces cheveux aux plus précieuses reliques. Toutes les réactions de Lancelot au cours de cette scène contribuent à donner de lui l'image du parfait amant, et exploitent, non sans humour, le motif spécifique qui se rattache à ce héros, à savoir celui de l'extase si absorbante qu'elle aboutit à des mésaventures presque comiques.

3) Interventions de l'auteur, écriture romanesque :

Cet humour sous-jacent dans le texte, en dépit de son apparent respect du code courtois (il faut par exemple que la demoiselle ménage la susceptibilité d'un chevalier toujours soucieux de dissimuler son amour, alors que tout le monde semble au courant...) est caractéristique de l'écriture de Chrétien de Troyes, et correspond ici à la distance qu'il prend vis-à-vis d'un sujet imposé à lui par sa commanditaire. Plus que jamais dans un tel passage, la présence de l'auteur est marquée par des signes multiples, et la maîtrise du romancier champenois est rendue manifeste par son utilisation virtuose de tous les procédés de la rhétorique héritée des anciens.

Au total, à partir d'un prétexte assez mince, on a une saynète particulièrement délicate, qui constitue comme un concentré essentiel du thème du roman dans son ensemble.

Le Chevalier au lion, épisode de l'*enamoratio* d'Yvain.

L'ensemble de la scène joue sur le paradoxe (Yvain s'éprend de la femme du monde qui a le plus de raisons de le haïr) et sur la rhétorique à double sens (la prison d'amour est d'abord, et avant tout, une prison tout à fait concrète, et fort périlleuse).

1) Une rencontre éminemment romanesque

Les circonstances sont propices au déclenchement du processus d'énamoration : alors qu'Yvain se trouve dans une situation particulièrement difficile, il est secouru par une demoiselle des plus avenantes, qui lui donne l'occasion d'assister à un spectacle extrêmement émouvant : la veuve du chevalier qu'il a tué, femme de très grande beauté, s'abandonne à sa douleur, et ses larmes ne la rendent que plus séduisante encore. La beauté de Laudine est décrite dans le cadre des manifestations spectaculaires de son désespoir. La mort de son seigneur la laisse seule et « déconseillée », c'est-à-dire que selon le code chevaleresque il est tout à fait naturel qu'Yvain brûle de lui porter son secours... même s'il est la cause de son malheur! C'est aussi bien le sens de sa responsabilité qui rend le chevalier plus susceptible à la séduction de la dame.

Comme il est courant dans un texte médiéval, l'amour passe par les yeux, et ne s'embarrasse pas de nuances : Yvain tombe instantanément amoureux, et est d'emblée prêt à mourir pour sa dame; il n'y a pas de progression sentimentale dans un roman courtois; l'amour est une donnée de faits, dont tout le monde connaît les symptômes et les caractéristiques.

2) La rhétorique du désir

En apparence, ce que désire Yvain est totalement inaccessible : il s'est épris de la seule femme qui ne saurait l'aimer. Cependant, aussi bien ses monologues intérieurs que ses dialogues avec Lunete ont pour but de triompher de cette objection fondamentale, et de justifier sa passion. La grande innovation introduite par Chrétien de Troyes dans ses romans est la subtilité de l'analyse. Les personnages sont merveilleusement rompus au jeu de la casuistique sentimentale, et Yvain aussi bien que Lunete est expert dans l'art de faire valoir les arguments *pro et contra* qui interviennent dans sa situation. En fait, la rhétorique tend à remplacer le sentiment; tout ici est question de vocabulaire ou de tropes, et le lecteur moderne est un peu déconcerté par cette virtuosité formelle consacrée à couper en quatre les cheveux du discours amoureux. Ce mode d'écriture, imprégné d'humour et d'une certaine distance par rapport à sa matière, est caractéristique de Chrétien de Troyes et se manifeste à différents niveaux.

3) Lunete, le double de la fée

Il est intéressant de voir quel rôle joue dans cette scène le personnage énigmatique de la demoiselle. « *Dea ex machina* » improbable, elle est venue en aide à Yvain sous un prétexte fragile. Mais elle prend plaisir à organiser de a jusqu'à z toute la scène, offrant d'abord au chevalier l'occasion de voir l'objet dont il va s'éprendre, puis devinant cet amour naissant et l'encourageant habilement par des discours à double sens, soufflant le chaud ou le froid selon que l'état d'esprit d'Yvain le requiert. Double manifeste de la dame, qui a sans doute usurpé sa place dans le scénario originel, elle présente des caractéristiques féeriques très accentuées, mais la maîtrise que ce genre de personnages peut avoir sur le destin des autres est ici transformée en maîtrise littéraire, analogue à celle de l'écrivain sur sa fiction, ce qui rapporche Lunete de Chrétien de Troyes, et en fait une figure déléguée de l'auteur.

Bibliographie essentielle

LA CHARRETTE (*LANCELOT*)

Chrétien de Troyes, *Le Chevalier à la charrette*, éd. bilingue de A. Foulet et K. D. Uitti, Paris, Classiques Garnier, Bordas, 1989.

Chrétien de Troyes, *Le Chevalier à la charrette*, éd. M. Roques, Paris, Champion, 1974.

Chrétien de Troyes, *Le Chevalier à la charrette*, dans Romans de la Table Ronde, trad. J.- P. Foucher, Paris, Folio, 1975.

LE CHEVALIER AU LION (*YVAIN*)

Chrétien de Troyes, *Le Chevalier au lion*, éd. et trad. M. Rousse, Paris, Garnier-Flammarion, 1990.

Chrétien de Troyes, *Le Chevalier au lion*, éd. M. Roques, Paris, Champion, 1980.

Chrétien de Troyes, *Le Chevalier au lion*, dans Romans de la Table Ronde, trad. J.-P. Foucher, Paris, Folio, 1975.

CHRÉTIEN DE TROYES

Reto Bezzola, *Le Sens de l'aventure et de l'amour* (Chrétien de Troyes), Champion, Paris, 1947.

Jean Frappier, *Chrétien de Troyes*, Hatier, Paris, 1957.

TABLE DES MATIÈRES

N° éditeur : 10038183-(IV)-14-OSBV-80°
Dépôt légal : Janvier 1997
Imprimé par I.M.E. - 25110 Baume-les-Dames
N° impression : 11161